Jeannot Baanitse

SOINS PALLIATIFS EN RD CONGO ET EN AFRIQUE

Appel à la promotion et l'intégration

Préface de
l'abbé NYIRINDEKWE Innocent

L'Harmattan

Du même auteur :

Plantes médicinales des Bahunde et pharmacopée traditionnelle, préface de l'ambassadeur Jean-Baptiste MURAIRI, Edition familiale, imprimé à Lille, France Août 2018 par thebookedition, 212 pages
ISBN : 978-2-930-660-06-6

5-7, rue de l'École-Polytechnique ; 75005 Paris

http://www.editions-harmattan.fr

ISBN : 978-2-343-24284-2

EAN : 9782343242842

DEDICACE

- A la douce mémoire de ma grand-mère M. BIHENDO Angèle qui, à l'issue d'une longue maladie, nous a quittés paisiblement, entre mes bras, le15 juillet 2019, à Goma et entourée affectueusement des autres membres de sa famille.
  Grand-mère, je m'incline devant cette volonté divine qui t'a arraché à l'affection de ceux qui t'ont connu, ton dégoût à l'injustice et à la haine fait de toi une femme inoubliable.

- En souvenir des autres membres décédés de ma famille, dont la liste n'a cessé de s'allonger. Parmi eux : ma tante Luendo Bonane (petite sœur directe de ma mère), ma belle-sœur Agathe Kahambu (épouse de Janvier Murairi B.), mon grand-oncle, chef Benoît Murairi Kitsa, Papa (oncle) Irénée Mwinihire (aussi après longue maladie), oncles Kibancha Joker et Jumba (Juvénal Mbafu), et tant d'autres, hommes et femmes, pour la plupart dans la fleur de l'âge….

REMERCIEMENTS

A vous tous, merci.

Pour paraphraser mon grand-père[1] sur la valeur du mot et du concept « merci », j'y recours moi aussi au terme de ce travail.

Vous le méritez vous tous.

Et plus particulièrement :

- Celle qui m'a donné la vision de la vie, ma mère Odette BATECHI ;
- Ceux qui ont assisté mon cerveau dans la rédaction de ce livre après plusieurs relectures : CT Master Albanz KABAYA, Sociologue et Dr MUZALIWA Justin, Spécialiste en Santé publique, les artistes et pionniers de ce livre. Merci au CT Albanz de m'avoir proposé le titre et à Dr Justin le plan du dernier chapitre avec des commentaires très formateurs.
- Mr. l'Abbé Professeur NYIRINDEKWE Innocent Recteur de l'Université Catholique la Sapientia Goma, qui, en dépit de ses lourdes charges académiques, a bien voulu rédiger une magnifique Préface donnant une onction scientifique à mon travail. Un père envouté par la réussite de l'autre, et la perfection de ses œuvres.
- Mon grand-père l'Ambassadeur Jean-Baptiste M. MITIMA KANENO qui, outre la relecture de mon manuscrit, n'a cessé de m'encourager à toujours pousser plus loin ma formation d'intellectuel. Cet écrivain insatiable est convaincu que je peux aussi exceller dans mon domaine, y compris par la production de livres et

---

[1]In M. Mitima K. Jean-Baptiste: Le Festin des Vautours : Mémoires d'un Ambassadeur congolais ; Ed. Sources du Nil, Lille 2012, pp. 5-6

autres ouvrages scientifiques. C'est dans cette optique et avec enthousiasme qu'il a rédigé la Préface de mon précédent livre « Les plantes médicinales et médecine traditionnelle chez les Bahundes »(212 pages ; Lille août 2018)

- Janvier MURAIRI, Licencié en Droit privé et juridique; titulaire de la Roger BALDWIN medal of liberty décernée par Human Rights First Washington 2016 ; merci pour la relecture et des commentaires très novateurs.
- C.T. Linguiste SAFARI Mupfuni, LA, Français – Langue Africaines, ISP-Goma ; pour la relecture et correction orthographique.
- Ceux qui sont toujours à côté de moi, mes frères et sœurs de Goma et de Kinshasa et particulièrement à Gratien BAHATI, le transporteur du manuscrit.
- D'autres noms ont probablement été omis : que ces frères et sœurs me pardonnent cette lacune : je ne les ai pas oubliés ; il s'est agi d'une distraction momentanée de ma part.
- ceux qui ont participé à ma formation d'homme et intellectuel,
- Celles qui ont été la source d'inspiration de ce livre : Sœur Agnieszka GUGALA, gestionnaire de l'hôpital de Ntamugenga, Sœur Marie PIATEK du Centre des Soins Palliatifs Saint Jean-Paul II à Kigali, et ma grand-mère BIHENDO Angèle
- Mais, « au sommet de tous, se trouve Dieu, l'ingénieux architecte et l'habile potier qui mérite un grand merci ».

Merci à tous !

PREFACE

Connaissant bien l'urgence et le besoin crucial de mise en œuvre des centres appropriés aux soins des malades en phase finale, je ne pouvais pas me soustraire à l'exercice d'écrire quelques lignes de préface à cet ouvrage.

Dr Jeannot BAANITSE ne présente pas seulement des théories apprises à l'école ou dans les livres. Il passe par sa propre expérience parsemée des moments de joie, des souffrances, d'insatisfaction mais aussi d'espérance dans la prise en charge concrète des personnes dont la fin de la vie est comptée pour peu de temps.

Ces expériences passées au Rwanda et à l'Est de la République démocratique du Congo ont fait naitre en lui une sorte de colère positive et conscientisant appelant les politiques à tout mettre en œuvres pour que l'accompagnement de ceux qu'une mort proche terrifient dans leurs corps, leurs âmes et leurs esprits soit absolument organisé. Une urgence absolue.

Partant du cadre conceptuel où il présente différentes approches utilisées dans l'appréhension, il est convaincu que celle qui est utile et porte des fruits pour les bénéficiaires principalement est celle conjuguant les dimensions médicales et socio-spirituelles. Si l'on ne peut guérir le corps, qu'au moins l'on prépare le souffrant à se réconcilier avec Dieu et les autres humains.

Dans un contexte fondamentalement africain, l'auteur est conscient que l'argument des soins palliatifs ne peut ignorer la dimension culturelle et populaire sur la maladie en Afrique où par exemple l'euthanasie est inimaginable, et considérée comme homicide volontaire, autrement prohibée dans l'écriture sainte (Exode 20,13).

Dans une deuxième démarche, l'auteur s'exerce à revenir sur les principes de prise en charge qui respectent la globalité de la personne et son environnement social d'un côté mais qui suivent en détail tous les contours de la douleur qui peuvent conduire même à la dépression et du malade, et des soignants et des familiers.

Par ailleurs, la spécificité de l'ouvrage est de montrer que l'intérêt de l'auteur sur les soins palliatifs peut affecter d'autres. La capacité avec laquelle il démontre son intérêt peut absolument ranger derrière cet intérêt d'autres acteurs de la santé. Les exemples concrets qu'il donne, et de sa propre famille, et des patients de toutes les couleurs ont la même force d'émouvoir et de mobiliser pour une cause noble.

C'est précisément cela qui ouvre des perspectives concrètes pour la région, la RD Congo et l'Afrique entière où ces soins souffrent d'une rareté impardonnable. D'où l'appel criant adressé directement et indirectement aux acteurs politiques, aux leaders religieux et sanitaires pour promouvoir ces soins, non seulement dans les enseignements supérieurs ou les institutions d'éducation orientées aux soins infirmiers.

C'est une urgence de santé publique exigeant un engagement communautaire multisectoriel et multidisciplinaire : les Eglises, l'Etat, la population, la société civile sont concernés tout un chacun à son niveau pour que l'homme reste au cœur des préoccupations de tous, même à la fin de sa vie.

Et pour cette conviction et cette certitude, disons que c'est un livre ardent et constructif par ce que les différentes réflexions émergent d'une âme pleine qui fait découvrir la valeur spirituelle de la maladie, de la douleur mais au même moment fait découvrir comment nous pouvons restaurer, jour après jour, instant après instant, le don de la vie et la dignité de la personne humaine, créée à l'image de Dieu. Tout un chacun peut s'en servir par ce que la douleur nous accompagne toujours.

Abbé Professeur NYIRINDEKWE Innocent
Recteur de l'Université catholique la Sapientia Goma
Docteur en Droit Canon, Initiateur du groupe d'accompagnement des malades- Goma.

AVANT PROPOS

Le domaine des soins palliatifs reste de nos jours un outil de prise en charge que la majorité des prestataires jette dans les oubliettes en particulier en RD Congo et en Afrique en général. Sur ce, nous relatons les différentes approches palliatives et notre expérience personnelle pour éveiller l'amour de l'art de soulager et de guérir ainsi que renverser les obstacles pour l'avancement de ces soins.

L'objectif de ce livre est de donner les recommandations aux autorités politico-sanitaires et de rappeler aux prestataires des soins de ne pas oublier leur serment vis-à-vis des malades incurables par des soins palliatifs de qualité. Même si à l'origine, ces soins étaient destinés à remplir les besoins des malades en fin de vie, ils devraient soulager les malades et être également destinés aux familiers, pendant et après le deuil.

Promouvoir les soins palliatifs dans nos milieux hospitaliers est la clé de ce livre qui s'insurge contre l'avancement des lois relatives à l'euthanasie. Ces soins sont efficaces lorsqu'ils sont administrés à temps et par une équipe multidisciplinaire qui collabore avec le patient et son entourage. Pour ces soins, la mort fait partie de la vie, et la mort n'est pas un échec.

Plusieurs pathologies nécessitent les soins palliatifs. Malheureusement un pourcentage élevé qui en a besoin n'en bénéficie pas. Ceci est dû le plus souvent aux mauvaises considérations socio-culturelles de la mort et de la maladie mais dont les remèdes restent l'intégration de ces soins dans la politique nationale, dans les enseignements universitaires, dans les soins de santé primaire ainsi qu'une sensibilisation de la population sur ces soins.

La première fonction du médecin est de guérir, mais il existe des situations pathologiques où la guérison ou du moins la stabilisation de la maladie, n'est plus possible. La mort devient alors inéluctable à plus ou moins brève échéance. Cela ne veut pas dire pour autant que le médecin n'a plus de rôle à jouer auprès du malade et de sa famille. Au contraire, la responsabilité éthique, l'engagement des soins pris vis-à-vis du patient imposent la poursuite des soins adaptés en lui assurant le meilleur confort possible et en l'accompagnant consciencieusement jusqu'au bout de sa vie en soulageant la famille dans toutes les dimensions après la mort. Cette deuxième fonction des soins fait partie intégrante de la médecine.

Dr Jeannot BAANITSE

INTRODUCTION

Les soins palliatifs s'adressent aux patients qui ont développé une maladie potentiellement mortelle et pour laquelle il n'existe pas ou plus de traitement curatif envisageable.

Dans une société où la maladie ne choisit pas l'âge, Hippocrate et l'Eglise choisissent toujours l'accompagnement de la fin de la vie afin que celle-ci se passe dans la dignité. Pour vaincre une fin de vie douloureuse, ils encouragent une attention particulière au soulagement des souffrances tant physiques que psycho-spirituelles du patient ; et au soutien de ses proches. Cela pour permettre au malade d'avoir le temps libre non physique de se rallier à Dieu en confessant même intérieurement et surtout de se rapprocher de sa famille biologique et de ses proches. Quand la dignité, la compassion et le dialogue éthique sont au rendez-vous, le respect de la personne et la sérénité le sont aussi.

L'ouverture à l'autre et le respect de l'autre jusqu'à la fin de sa vie nous font tellement de bien et augmentent notre qualité de vie.

Pour parvenir à mettre en œuvre les soins palliatifs et réussir à juguler les différents maux de notre contrée, il faut des moyens financiers et un moral de fer. Dans la Région des Grands Lacs en général et en République Démocratique du Congo (RDC) en particulier, la prise en charge financière des soins palliatifs se pose avec de sérieux problèmes. D'abord, les ressources institutionnelles sont quasi inexistantes. A part le Rwanda qui dispose d'un centre approprié pour cette fin à Kigali, celui de Saint Jean-Paul II, la question se pose encore avec plus d'acuité à l'Est de la RDC. En effet, on assiste à une pénurie du personnel qualifié en matière des soins palliatifs, la sous-information des populations sur ces types de soins essentiellement non curatifs, et la pauvreté psycho-sociale, c'est-à-dire le désaccord familial sur la nécessité des soins d'une maladie incurable.

Il serait donc nécessaire de montrer au monde entier le moment utile de préparer le malade et la famille à accepter les conséquences d'un pronostic de la maladie, de la mort et à la vie de l'au-delà.

La difficulté à fournir un pronostic précis et la résistance affective des patients et de leur famille à accepter les conséquences d'un pronostic défavorable sont les principaux obstacles à des soins palliatifs et terminaux de qualité.

Une des solutions pratiques consisterait à intégrer les soins palliatifs dans les soins curatifs, quel que soit le pronostic. Grâce à cette approche, les soins palliatifs ne seraient plus assimilés à un message d'échec, d'absence de traitement ni à l'impression de « baisser les bras ». Le principe d'intégration des soins palliatifs au traitement curatif consiste à inclure un objectif continu d'évaluation, faisant partie de la réévaluation systématique du patient effectuée lors de la plupart des rencontres patients-médecins.

Il reste encore beaucoup à faire dans le domaine des soins palliatifs et du soulagement de la douleur et où nous ne comptons pratiquement presque pas de professionnels de santé formés. Pourtant le nombre des pathologies incurables s'accentue avec des ressources limitées où les décès imputables aux cancers au stade terminal[2], au VIH et aux infections respiratoires sévères sont courants, et souvent ces soins palliatifs sont perçus comme un luxe[1].

L'inefficacité de la politique nationale et le manque des structures spécialisées sont souvent la base de tous ces maux. La formation universitaire des agents de santé et une sensibilisation du public sur l'intérêt de ces soins devront constituer une préoccupation majeure en faveur de la nécessité des soins palliatifs.

Plusieurs personnes pensent que ces derniers se font uniquement chez les personnes âgées. Cela n'est pas vrai. Tous les âges sont concernés. Les soins palliatifs ne visent pas l'âge mais plutôt la personne au stade de fin de vie. Ils devraient donc faire l'objet d'une attention particulière.

Les soins palliatifs ont une efficacité maximale lorsqu'ils sont envisagés à un stade précoce de la maladie. Dans ce cas, en plus d'améliorer la qualité de la vie des patients, ils réduisent le nombre d'hospitalisations superflues et le recours aux services de santé[3].

La RD Congo est classée parmi les pays qui désirent développer les soins palliatifs. C'est à ce titre que grâce à l'implication du Ministère de la Santé Publique, le pays est déjà doté de la feuille de route devant conduire à l'intégration des soins palliatifs dans le système de santé

---

[2]J.M. LUFANDJOLA, E. KISWAYA SUMAILI, J. PETREMANS, *fardeau des maladies chroniques en Afrique subsaharienne : plaidoyer pour une mise en place des soins palliatifs et d'accompagnement en fin de vie en République démocratique du Congo*, Elsevier Masson France juin 2017

[3]Organisation mondiale de la santé, *dix faits sur les soins palliatifs*, Genève, octobre 2017

publique. Parmi les acteurs de terrain, on peut citer quelques associations sans but lucratif qui s'adonnent à l'accompagnement de ce processus mais aussi qui pratiquent activement les soins palliatifs dans les institutions de santé et même au domicile des patients sur leur demande[4].

C'est dans ce cadre que nous avons entrepris cette initiative de rédiger cet ouvrage afin de contribuer à l'avènement effectif du processus d'implantation des soins palliatifs dans le système de santé en RD Congo.

S'adressant aussi bien aux professionnels de santé et aux autorités académiques qu'à toute autre personne n'évoluant pas dans ce secteur, cet ouvrage offre une opportunité de la compréhension plus facile de la notion des soins palliatifs, de leur nécessité et des obstacles à leur mise en œuvre dans les pays africains en général et en RD Congo en particulier.

Outre l'introduction et la conclusion générale, le contenu de cet ouvrage se résume aux cinq principaux chapitres ci-après :

- ✓ Cadre conceptuel des soins palliatifs
- ✓ Médecine palliative : principes de prise en charge
- ✓ Cas cliniques des soins palliatifs : intérêt
- ✓ Leçon : Perspectives des soins palliatifs en RD Congo et en Afrique
- ✓ Historique de l'hôpital Saint Raphael de Ntamugenga

---

[4]Pallia familli, *soins palliatifs en RD Congo : modèle de pérennisation* ; Kinshasa, juin 2016

Chapitre 1 : CADRE CONCEPTUEL DES SOINS PALLIATIFS

I .1 Des approches théoriques des soins palliatifs

Plusieurs approches sont souvent envisagées dans l'appréhension des soins palliatifs. Nous en avons ici retenu deux que nous estimons les plus usuelles. Il s'agit principalement des approches médicales et socio-spirituelles dont nous parlons, avant d'aborder l'évolution médico-spirituelle des soins palliatifs.

I .1.1 Approche médicale des soins palliatifs

1) Concept fondamental

Les soins palliatifs sont une approche pour améliorer la qualité de vie des patients (adultes et enfants) et de leur famille, confrontés aux problèmes liés à des maladies potentiellement mortelles, prévenir et soulager les souffrances grâce à la reconnaissance précoce, l'évaluation correcte et le traitement de la douleur et des autres problèmes, qu'ils soient d'ordre physique, psychosocial ou spirituel. A ces points, s'ajoute le nursing continuel au chevet du malade[5] .

La prise en charge de la souffrance implique de s'occuper des questions dépassant les symptômes physiques. Les

[5]LUNCHI T. CONOR S, CLARK D, *Mapping level of palliative care development ; journal of pain and symptom management,* OMS-Genève 2013 : Focus du 19 Février 2018.

[6]Société Française d'accompagnement et des soins palliatifs, *l'accompagnement en fin de vie dans un centre de soins palliatifs*, Paris 1992

soins palliatifs font appel au travail d'équipe pour soutenir les patients et leurs proches qui s'occupent d'eux.

« Les soins palliatifs sont des soins actifs dans une approche globale de la personne en phase évoluée ou terminale d'une maladie potentiellement mortelle. La prise en compte à soulager les douleurs physiques ainsi que la souffrance psychologique, morale et spirituelle devient alors primordiale. Les soins palliatifs et l'accompagnement de la fin de vie considèrent le malade comme un vivant et sa mort comme un processus normal. Ils ne hâtent ni ne retardent le décès. Leur but est de préserver la meilleure qualité de vie possible jusqu'à la mort. Ils sont pluridisciplinaires dans leur démarche. » Ce sont des soins qui atténuent les symptômes d'une maladie sans agir sur sa cause[5].

2) *Vision des soins palliatifs*

Les soins palliatifs ne visent que le confort du malade, souvent en phase désespérée de la fin de sa vie. L'objectif étant de prévenir et de soulager les douleurs physiques, les symptômes inconfortables (constipation, nausées, anxiété, escarres,…) ou encore la souffrance psychologique.[7]

Précisément, on entend par soins palliatifs:

- ✓ Traiter la douleur ;
- ✓ Traiter les symptômes d'inconfort : vomissement, oppression, constipation, obstruction respiratoire avec évacuation des glaires, etc. ;
- ✓ Pouvoir recourir à des antibiotiques, s'ils permettent de diminuer les douleurs du patient en freinant le processus infectieux qui peut être douloureux ou à des médications visant à calmer la détresse ;

---

[7]TEQUI Pierre, Lexique : *Conseil pontifical pour la famille, lexiques des termes ambigus et controversés sur la famille, la vie et les questions éthiques*, Paris Avril 2005

- ✓ Donner un appui psychologique : écoute du malade, contacts avec la famille et avec les proches, appui spirituel, etc.

Il est donc tout à fait inapproprié de dire au malade : « *je ne peux plus rien faire pour vous* », puisqu'on fait- ou peut faire beaucoup- beaucoup pour lui[6].

3) Situations relevant des soins palliatifs

Comme nous l'avons indiqué dans l'introduction, les soins palliatifs s'adressent aux patients ayant une maladie évoluée potentiellement mortelle et pour laquelle il n'existe pas ou plus de traitement curatif envisageable. Les soins palliatifs ne tiennent pas compte de l'âge du malade.

Les soins palliatifs sont explicitement reconnus au même titre du droit de l'homme à la santé. Ils doivent être dispensés dans le cadre des services de santé intégrés. Ces soins sont requis pour beaucoup de maladies. La majorité des patients ; adultes et enfants qui en ont besoin, ont des affections chroniques souvent sévères, comme les maladies cardio-vasculaires, des cancers, des maladies respiratoires chroniques sévères, le SIDA au stade avancé (le plus souvent le stade clinique 4 de l'OMS)[8], le diabète avec les complications neurologiques ; la maladie de Duchenne, bien que rare.

De nombreuses autres affections peuvent nécessiter des soins palliatifs, comme l'insuffisance rénale terminale, les maladies hépatiques chroniques, la sclérose en plaque, la maladie de Parkinson et celle d'Alzheimer, la polyarthrite rhumatoïde ; les maladies neurologiques, la tuberculose

---

[8]Il s'agit d'une classification clinique du VIH/SIDA de l'OMS 2006 dont le stade 4 est le dernier

pharmaco-résistante, la démence ; les polytraumatismes graves ; etc.

4) Accueil des malades

Parfois, il nous arrive d'être appelé auprès d'un malade qui arrive à l'hôpital au stade ultime de sa maladie, avec une échéance malheureusement brève, et nous l'aidons en communion avec sa famille à vivre le mieux et le plus confortable possible ses derniers jours dans un état de confiance. Nous administrons même des traitements chimio-thérapeutiques pour des malades atteints du cancer par exemple, surtout quand tout espoir est encore permis ; cela après avoir fait des investigations fiables par des examens spécialisés nécessaires pour le diagnostic de certitude.

Curieusement, nombreux parmi ces malades restent pendant longtemps au centre, et d'autres accompagnés pendant un moment peuvent même répartir bien en vie chez eux. Comme on dit toujours en médecine, « *ni jamais ni toujours* » ; l'espoir, il faut toujours le garder et avoir confiance en Dieu, lui, le maitre du temps et de l'espace. Personne ne connait son heure de la mort à part Dieu. Souvent les malades viennent désespérés mais une fois arrivés dans une structure, ils font encore beaucoup plus de temps qu'on ne le croyait et la famille se sent soulagée certainement. Cela ne tient pas de la magie mais d'un travail ferme.

Que fait l'équipe soignante quand un patient nécessite les soins palliatifs ?

La présence d'un patient avec une pathologie incurable au stade terminal de sa vie et qui nécessite les soins palliatifs requiert souvent pour le personnel une envergure étrange et cela veut dire que toutes les batteries sont mises en marche au niveau de tous les échelons. Le garde malade ou l'aidant familial joue la charnière centrale car il fait des appels intempestifs au moment voulu par le malade qui bénéficiera des soins. Une permanence avec équipements au chevet du malade qui, souvent, occupe une chambre privée, isolée pour éviter que les autres malades se sentent lésés et frustrés par ses cris et pleurs traumatisants, est la règle.

« La vie vaut la peine d'être vécue », une citation que je préfère dans mon parcours de médecin. Une minute pour un malade lui donne une chance dans la vie spirituelle avec la miséricorde de Dieu. Etre aux côtés du malade incurable, apporte une consolation. Cela constitue un pas dans son parcours, car il se sent aisé quand un personnel soignant passe pour lui administrer un produit.

I.1.2 Approche socio-spirituelle des soins palliatifs

I.1.2.1 Soins palliatifs et la Doctrine sociale de l'Eglise catholique

Les soins palliatifs sont des soins qui ne guérissent pas. Ils sont administrés à des patients incurables, c'est-à-dire qu'il n'y a pas moyen de les guérir, et qui se trouvent dans d'énormes souffrances. Ainsi, par exemple, on ne fait plus de chimiothérapie, mais on continue de soigner sauf pour certains cas exceptionnels.

L'Eglise catholique condamne l'euthanasie mais pas les soins palliatifs. La Congrégation pour la doctrine de la foi a rappelé l'obligation d'alimenter et d'hydrater les malades en état végétatif, dans un document rendu public le 14 septembre 2007.[6]

Par ailleurs, les soins palliatifs sont acceptés : « il est notamment licite de supprimer la douleur au moyen de narcotiques même avec pour effet d'amoindrir la conscience et d'abréger la vie » : C'est une affirmation de Pie XII rappelée dans l'encyclique Evangelium vitae, encyclique du Pape Jean Paul II[9].

I.1.2.2 Dignité humaine

Dans l'accompagnement en fin de vie, le respect de la dignité est la clé de la réussite dans le suivi de malade nécessitant les soins palliatifs. Une approche éthique et spirituelle insinue une nuance indiscutable.

Cet accompagnement en soi, déjà délicat et inhabituel, requiert aujourd'hui une vigilance particulière. Les décisions se trouvent entre les mains de beaucoup d'intervenants qui agissent selon des attitudes, cultures et critères divergents : famille et amis, médecin et autre personnel soignant.

Comment préserver la dignité humaine dans un contexte juridique et médical en permanente évolution et marqué par des lois relatives qui encouragent l'euthanasie et la sédation si l'on veut éviter que les décisions difficiles ne se conforment pas spontanément à une intervention utilitaire ? Ce dernier cas, en pleine évolution en Europe, produit des lois en faveur de l'euthanasie où certains juristes partisans frisent la nuisance à la dignité humaine.

J'en parle dans ce livre, du fait que certains Européens veulent nous infliger leurs mauvais caractères de tuer, alors

---

[9]PAPE JEAN- PAUL II, lettre *encyclique Evangelium vitae :* 1992.

que notre culture africaine prône des mesures de conservation de la vie, des mesures laissant l'homme vivre sa vie sur cette terre. Ôter la vie d'une personne est donc une faute grave et punissable ; autant que l'apologie de l'euthanasie.

Comment la fin de vie peut-elle nous faire découvrir du censé?

Dr Marc DESMET, un médecin Jésuite belge et partisan des soins palliatifs fait régulièrement des plaidoyers pour la nuance et le non savoir, (voir le sous-titre de son ouvrage : euthanasie), cela dans sa pratique médicale quotidienne en éclairant les différentes décisions éthiques et en pointant l'importance de la gestion en équipe de la douleur spirituelle sous- jacente[10].

La fin de vie et la vie spirituelle à venir est un mystère pour chacun de nous sur cette terre ; la vigilance qui nous est nécessaire dans notre vie est, certes, basée sur les décisions de l'état de santé de nos proches et amis ; familiers et parents en fin de vie. La dignité humaine doit être respectée par tout le monde et sur tout le monde. Une nuance franche connue doit être levée : accompagner les malades grabataires en fin de vie, est une mesure à prôner ; accélérer la mort d'un être humain est une erreur et une faute grave, telle est la substance de la culture africaine.

Faut- il respecter les mourants ?

Le regard, la vigilance et les soins seront accordés aux mourants pour les aider à vivre leurs derniers moments dans la dignité et la paix du cœur. Ces malades en fin de vie seront aidés par l'appui des proches et aidants familiaux, en

---

[10]Dr Père Marc DESMET, *l'euthanasie*, prélude de son plaidoyer organisé à Bruxelles en mai 2019

soulageant le malade et à faire les besoins primaires normalement. La proximité d'un religieux permettrait à ce que le malade reçoive en temps opportun les sacrements ou l'assistance spirituelle appropriée qui préparent à la rencontre du Dieu vivant[11].

Le respect de la vie humaine amène à marquer la double limite de l'acharnement thérapeutique et de l'euthanasie à l'égard des mourants qui vivent la dernière phase de leur vie.

I.1.2.3 Le malade à considérer

Le malade avec pathologie incurable est la personne la plus faible à l'hôpital vu ses nombres des semaines, voire ses jours comptés au bout des doigts.

Ce malade vit avec le désespoir au visage et souvent on le sort de l'hôpital comme issue rapide, personne ne lui accorde un intérêt et les soins de routine sans beaucoup d'enthousiasme pour lui sont administrés et quelquefois pour éviter de se débarrasser ouvertement de celui-ci.

Tout le monde convient que le malade est faible physiquement, mais normalement celui-ci devrait être pris comme le plus fort et sur qui toutes les idées devraient être focalisées, surtout qu'il s'agit de l' accompagner vers une fin de vie sereine, d'une part par le manager ou le gestionnaire des structures et d'autre part, par le personnel soignant, en valorisant leur dimension spirituelle[12].

---

[11]Catéchisme de l'Eglise catholique, Vatican, Mame édition, alinéas 2276- 2299

[12]Père Dr Marc DESMET, *vivre la gestion hospitalière, une question spirituelle* ? Éditions jésuites, Bruxelles 2015

I.1.2.4 Déférence aux humains

Sur autorisation des familles, des patients, le plus souvent de l'équipe soignante, les sœurs gestionnaires de notre hôpital rendent visite régulièrement aux malades hospitalisés dans notre structure pour leur apporter un réconfort de vie avec des blagues, leur donnant la nourriture ; leur apportant une écoute favorable, car il s'agit ici, le plus souvent des patients dont l'état de la maladie, où le stade a évolué et dont le pronostic est grave, et pour les autres au dernier soupir de leur vie.

Une musicothérapie, faite quotidiennement par les sœurs religieuses ou même un infirmier avec un mini speaker à clef USB contenant une musique douce classique religieuse apporte inévitablement un soulagement au patient.

La grande et la seule action de leur mission consiste en une prière matinale et vespérale à l'attention des malades mais aussi du personnel soignant, dédiée chaque jour partout dans le monde où cette Congrégation a un couvent.

Qu'apporte alors ce métier aux sœurs des Anges ?

A mon humble avis, seule la satisfaction apostolique de participer au mieux-être du malade souvent vulnérable dans une période délicate de la vie ; au moment où tout le monde a un visage désespérant, inexpressif pour une perte prochaine d'une fille ou d'un fils, d'une épouse ou d'un époux, d'un ami ou toute autre personne très chère.

Le plus difficile des métiers sur cette terre, c'est celui de consoler ou de donner le moral à une personne qui voit venir les derniers moments de sa vie, sur une chaise roulante, dans un lit où même en marchant. Pas facile à ouvrir sa bouche pour annoncer ou pour montrer à quelqu'un comment se comporter face à la mort, alors que celui-ci prépare dans sa tête une mort prochaine. Pour moi, je pense que ces malades qui bénéficient des soins palliatifs sont bien préparés par rapport à d'autres qui ne le sont pas, et sont emportés par une mort brutale.

Tel que j'observe les mouvements, les gestes et certaines pratiques, les échanges entre patients et équipe soignante sont très riches et positivement intenses ; et quelquefois capricieux pour certains malades vis-à-vis du personnel soignant de l'hôpital. Ce qui, à mon humble avis, est un dilemme pour la bonne prise en charge. Ici, la collaboration doit être l'élément fondamental pour la bonne suite et pour une bonne prise en charge.

Nous sommes dans l'humain essentiellement avec le coté fragile, fort et mystérieux de l'homme. Surtout que chaque rencontre est une expérience unique à chaque minute de notre vie, ainsi l'équipe soignante de notre structure, avec les quelques malades suivis, dans l'hôpital Saint Raphaël de Ntamugenga, donne une petite expérience sur les soins palliatifs, avec ces genres de malades très orgueilleux et capricieux, cette équipe a une vision du côté mystérieux et fragile de l'homme.

I.1.3 Evolution médico-spirituelle des soins palliatifs

Les soins palliatifs ne datent pas d'aujourd'hui tel que le préconise l'approche médicale moderne, jusqu'au 20è siècle. Ils datent de plusieurs années avant Jésus Christ à l'époque du maître de la médecine Hippocrate et même à l'époque du Prophète Moise quand il prêcha les dix commandements.

- ✓ Du point de vue médical :

Juste après la seconde guerre mondiale, avec Cicely SAUNDERS, pionnière moderne des soins palliatifs,

l'introduction de ces soins a eu lieu pour la première fois en Grande-Bretagne et aux Etats-Unis d'Amérique, d'où est parti « le Hospice Movement ».
Il s'agit d'un mouvement des bénévoles pour les soins palliatifs dont l'origine remonterait aux pionnières anglo-saxonnes du Saint Christopher hospice autour de « CICELY SAUNDERS ».
Le vrai pionnier des soins palliatifs est le maitre même de la médecine, celui qui a donné l'essence de la médecine, Hippocrate dont les détails seront donnés un peu loin au point intitulé : soins palliatifs et médecine.

Le Dr Maurice ABIREN (1924-2007), spécialiste de médecine interne, fut l'un des pionniers de la pratique des soins palliatifs en France et Charles-Henri RAPIN (1947-2008), médecin gériatre Suisse l'est dans le monde francophone de la gériatrie. Ce mouvement s'appuie sur des concepts éthiques faisant une large part à l'autonomie du malade, au refus de l'obstination déraisonnable ainsi qu'au refus de vouloir hâter la mort.

Dans ses différents écrits, Michel CASTRA précise ce qui suit : « Cherchant à s'affranchir du cadre traditionnel d'une médecine techniciste et scientifique, les promoteurs des soins palliatifs sont parvenus à affirmer les principes d'une médecine privilégiant une logique de confort et ayant pour objectif de lutter contre les conséquences d'une médecine incurable ».
Ce groupe de médecins avait l'objectif de privilégier la qualité de la vie qui reste à vivre sur sa durée. Elle implique le refus de l'euthanasie et de l'acharnement thérapeutique[13].

---

[13]PAUGAM Serges, *repenser la solidarité*, Paris, PUF, Coll. 2007, P 778

Un des points importants défendu par le mouvement des soins palliatifs est la place à reconnaitre dans notre société « *à celui qui meurt* ». Pour ce mouvement des soins palliatifs, il est important de se rappeler que la mort est un phénomène naturel de la vie.

A mon humble avis, l'origine des soins palliatifs est spirituelle, tel que nous pouvons le lire dans le nouveau testament : « Vous avez appris qu'il a été dit aux anciens, Tu ne tueras pas. Celui qui tuera sera passible du jugement ». Et moi, je vous dis que quiconque se met en colère contre son frère sera passible du jugement.[14]

La vie humaine est sacrée parce que, dès son origine, elle comporte l'action créatrice de Dieu et demeure pour toujours dans une relation spéciale avec le créateur, son unique fin. Dieu seul est le maitre de la vie dès son commencement jusqu'à son terme : personne, en aucune circonstance, ne peut revendiquer pour soi le droit de détruire directement un être humain[10].
Par ailleurs, Hippocrate dans ses enseignements vantait d'une manière directe les soins palliatifs dans le serment qu'il publia et que chaque médecin prête avant de commencer à pratiquer son métier. Je pense qu'il savait que la modernisation médicale allait un jour bafouer les règles générales à suivre, quand il disait : « *guérir parfois, soulager souvent et consoler toujours* », aussi « *je garderai le respect absolu de la vie humaine dès sa conception* ».

Il n'y a pas de fumée sans feu, dit-on. Hippocrate avait en son temps, fait allusion à la Bible qui est un livre sacré pour beaucoup de gens. Et par lui, tous ces médecins que nous appelons pionniers, font référence au père de la médecine.

---

[14]Matthieu 5,21-22

I .2 Crise psychologique d'un malade en fin de vie

Le crépuscule de la vie provoque une période de crise psychologique sévère durant laquelle la personne doit intégrer les pertes, accepter les changements, faire intérieurement le deuil de sa vie et être capable de réinvestissement dans une existence devenue autre, obscure.

L'évolution clinique psychologique qui mène à la mort se fait par des étapes qui dépendent du stade d'évolution de la maladie, de la personnalité et des mécanismes de défense propres qu'à chaque individu.

Et ces étapes qui sont au nombre de cinq mais n'ont pas forcément un lien chronologique et ont été individualisées de la manière suivante[15]:

- ✓ La contestation, le refus, la dénégation sous l'effet du choc psychologique, la prise de conscience de l'irréversibilité de son état de santé et de la proximité de la mort génèrent un état de mort apparente. La personne refuse d'admettre le diagnostic ou le pronostic grave qui va l'emporter ;
- ✓ Le courroux et l'agressivité contre tout le monde sont le signe d'une frustration insupportable par rapport à ce que la maladie oblige à accepter et ce à quoi il faut renoncer. La colère peut se projeter sur la famille sur les soignants et sur certains amis ;
- ✓ La charge et la culpabilité: le patient se sent être une charge à la famille et ressent une culpabilité à renoncer et à accepter la fin alors qu'il souhaite

---

[15]Ezekiel J. EMMANUEL, *soins palliatifs et soins de fin de vie*, Lavoisier, 18è Edition, Etats-Unis, 2012

encore s'accrocher à la vie. Certains connaissent une soif de vivre qui bouleverse l'entourage ;

- ✓ La tristesse et la dépression : l'approche de la mort est une expérience de séparation qui entraîne de la tristesse. Un travail d'acceptation est nécessaire. Le passage par un état dépressif est fréquent ;
- ✓ La difficulté d'accepter sa nouvelle vie, la renonciation, le lâcher-prise : le malade accède à cette dernière étape s'il a été aidé pour franchir les étapes précédentes. Parfois, la phase terminale déclenche des comportements régressifs pouvant se manifester par des propos confus ou délirants ou évoquer des attitudes de nourrisson.

Tout au long de l'évolution psychologique de la phase terminale, il est important pour le personnel soignant de comprendre et de respecter les mécanismes de défense face à l'angoisse de la mort. L'écoute et la présence permettent au patient de partager ce qu'il ressent et d'accéder au dernier stade de l'acceptation. C'est là que le terme d'accompagnement prend toute sa dimension, et l'importance même des soins palliatifs dans notre structure, surtout pour le peu des malades qui en nécessitent, sous la gestion des sœurs compétentes ; vu leur expérience dans le monde entier auprès des gens avec souffrance psycho-sociale et même physique.

I.3 Soins palliatifs et soins de santé primaires

Généralement, les objectifs des soins sont nombreux et ne se limitent pas à guérir une maladie spécifique mais, et surtout, à prolonger l'espérance de vie, à soulager les symptômes d'une maladie, à retarder l'évolution rapide d'une maladie incurable vers la mort, à assurer progressivement une adaptation d'un handicap sans rupture avec les proches familiers, et aussi à finir sa vie de façon à laisser un souvenir positif aux êtres chers.

Alors pourquoi ne pas intégrer un tel acte dans les soins de santé primaires ?

Connaître les objectifs ci-haut cités est crucial dans la profession médicale. Une idée vous arrivera à l'esprit sur l'utilité de ces soins palliatifs quand un proche familier en aura besoin.

La R D Congo et plusieurs pays de notre région sont signataires de la déclaration d'Alma Ata sur les soins de santé primaires avec ses quatre axes de santé[16]. En ce qui concerne la RD Congo, l'intégration de soins palliatifs est une priorité parmi tant d'autres, principalement dans les deux premiers axes, à savoir: la réforme des politiques de santé pour promouvoir et protéger la santé de communautés et la réforme de la couverture universelle pour améliorer l'équité en santé.

La mise en place d'une politique nationale des soins palliatifs ne coûterait rien si les autorités politico- sanitaires s'y mettaient, pour leur promotion auprès de toutes les couches de la population, dans une vision commune.

Connaître les obstacles qui freinent l'évolution des soins palliatifs dans notre région est un pas de plus. Et donc, ces obstacles sont les raisons mêmes d'intégration des soins palliatifs dans les soins de santé primaire.

Plusieurs raisons militent pour cette intégration des soins palliatifs dans les soins de santé primaire, parmi lesquelles :

---

[16]Conférence d'Alma Ata, *déclaration sur les soins de santé primaires*, 1978

- ➢ L'ignorance par la population de l'intérêt des soins palliatifs ;
- ➢ Les problèmes des suivis des soins palliatifs et des soins curatifs sont indissociables ;
- ➢ La perception socio-culturelle erronée de la maladie et de la mort ;
- ➢ En matière de soins palliatifs, les lacunes sont énormes : un personnel de santé non qualifié et non formé ;
- ➢ L'absence d'un modèle national des soins palliatifs ;
- ➢ L'incidence élevée des pathologies chroniques nécessitant les soins palliatifs tel que le VIH/SIDA, le cancer, le diabète,….

Que faut-il pour pallier ces obstacles et ainsi avoir une idée d'intégration des soins palliatifs dans les soins de santé primaires ?

Il suffit de les intégrer dans la politique nationale de santé en :

- ✓ Révisant les procédures et les lois spécifiques pour faciliter l'accès au soulagement de la douleur et avoir un modèle national de santé ;
- ✓ Intégrant les soins palliatifs dans les enseignements universitaires des agents de santé ;
- ✓ Créant des ressources institutionnelles spécifiques et en encourageant le suivi de soins palliatifs à domicile mais aussi en favorisant les organisations privées à s'intéresser à ce domaine;
- ✓ Faisant une capacitation régulière des agents de santé ;
- ✓ Montrant à la communauté l'intérêt de ces soins palliatifs.

I.4 Soins palliatifs et Médecine : point de vue d'Hippocrate

« Je considérerai la santé de mon malade comme mon premier souci. »
« Je garderai le respect absolu de la vie humaine dès la conception. »
« Même sous la menace, je n'admettrai pas de faire usage de mes connaissances médicales contre les lois de l'humanité. »
Ces phrases du serment d'Hippocrate donnent le sens même à la médecine.
Dès le début de l'humanité, la dignité humaine était respectée et doit le rester, et ce, de par l'esprit du serment d'Hippocrate et la conscience humaine.

D'où proviennent alors ces termes d'euthanasie, de mort assistée ? La modernisation veut contrarier le monde médical. Au contraire, la responsabilité éthique, l'engagement pris vis-à-vis du patient impose la poursuite des soins adaptés en lui assurant le meilleur confort possible et en l'accompagnant jusqu'au bout de sa vie. Cette fonction des soins fait partie intégrante de la médecine.

Après avoir prêté le serment d'Hippocrate, tout médecin est sain et sans tâche. Mais un à deux ans après s'être familiarisé aux malades et à d'autres personnels soignants, les mauvaises habitudes s'installent dans sa tête et certains choisissent le bon côté des choses et d'autres même vont jusqu'à ignorer le serment et les gestes à prôner comme les soins palliatifs. Ils prônent ainsi l'euthanasie aux dos des malades ou même en complicité avec les familiers ou les proches des malades ou quelquefois avec les malades eux-mêmes.

Quel genre de médecin peut prôner la mort par l'euthanasie ? Pourquoi avoir prêté le serment devant tout le monde et devant soi-même ou sa conscience puis oublier d'être au chevet du malade toute la vie.
A ce sujet, les soins palliatifs doivent être la preuve même de ce serment à respecter, à honorer et à faire valoir. Une méthode à bannir est le recours à l'euthanasie pour se débarrasser de nos vieux malades, ou des patients incurables, quels que soient leur âge, leur religion, leur rang social. Cette pratique est un signe et une preuve de faiblesse du corps médical, incapable d'expliquer aux proches et familiers l'importance et la nécessité des soins palliatifs pour une maladie incurable.

Certainement, il y a des médecins et certains personnels soignants des différents hôpitaux qui montrent aux malades qu'il n'y a plus espoir de rester à l'hôpital que de les faire rentrer à la maison pour y accomplir leurs derniers jours comme remède. Ce genre des personnels se retrouvent interpellés par leur conscience.

Nul ne pourra en disconvenir, les soins palliatifs peuvent être poursuivis même à domicile. Ce qui facilite un réel contact avec un personnel soignant qui passerait régulièrement pour les soins que le malade nécessite. Sous d'autres cieux, quand un malade arrive à la fin de sa vie, souvent on le fait rentrer à la maison sur demande de la famille sans ou avec l'aval du malade, certainement avec l'accord des certains médecins. C'est un signe de faiblesse.
Voici l'intégralité du serment d'Hippocrate qui corrobore davantage l'impérieuse nécessité des soins palliatifs :
« En présence des Maîtres de cette faculté, de mes chers condisciples, devant l'effigie d'Hippocrate, je promets et je jure, au nom de l'Etre suprême, d'être fidèle aux lois de l'honneur et de la probité dans l'exercice de la médecine.

Je donnerai mes soins gratuits à l'indigent et n'exigerai jamais un salaire au-dessus de mon travail;
Je ne participerai à aucun partage clandestin d'honoraires.
Admis à l'intérieur des maisons, mes yeux ne verront pas ce qui s'y passe, ma langue taira les secrets qui me seront confiés et mon état ne servira pas à corrompre les mœurs, ni à favoriser le crime.
Je ne permettrai pas que des considérations de religion, de nation, de race, de parti ou de classe sociale viennent s'interposer entre mon devoir et mon patient.
Je garderai le respect absolu de la vie humaine dès la conception.
Même sous la menace, je n'admettrai pas de faire usage de mes connaissances médicales contre les lois de l'humanité.
Respectueux et reconnaissant envers mes maîtres, je rendrai à leurs enfants l'instruction que j'ai reçue de leurs pères.
Que les hommes m'accordent leur estime si je suis fidèle à mes promesses.
Que je sois couvert d'opprobre et méprisé de mes confrères si j'y manque.
Je le jure. »[17]

Le respect et la connaissance de ce serment font la fierté de celui qui applique l'art de guérir.

I.5 Où instituer les soins palliatifs ?

La balance de la meilleure approche pour administrer ou fournir des soins palliatifs au patient dépendra des préférences du patient lui-même et de sa famille, de la disponibilité des soignants et des services spécialisés de

---

[17]Conseil provincial de l'ordre de médecins Sud-Kivu, *Code et déontologie médicale, droits et devoirs*, RD C, Bukavu 2001

proximité, ainsi que des ressources institutionnelles. Les centres spécialisés sont un modèle des soins palliatifs. Ils sont très rares en Afrique et quasi inexistants en RD Congo. Vu le coût très élevé de ces soins en Afrique, il y a donc lieu d'envisager la formation des agents de santé dans ce domaine et d'encourager le suivi au domicile le suivi de certains patients qui le souhaitent.

Aux Etats-Unis, environ 40,7% des soins palliatifs sont prodigués à domicile[13]. Pour des villes, des villages et des pays où ces centres spécialisés n'existent presque pas, il suffit qu'il y ait une instauration des mesures à suivre sur un diagnostic précis par des médecins spécialisés, avec une information fiable à la famille. Ces soins peuvent ainsi être institués par un infirmier de proximité avec un médecin de la famille qui peut être contacté régulièrement en cas de besoin.

1.5.1 Quels sont les objectifs spécifiques de l'équipe soignante

L'équipe soignante est particulièrement vigilante et sensible au traitement de la douleur. La cotation de la douleur reste l'élément primordial qui motive plusieurs malades en consultation ambulatoire pour être soulagé et même en hospitalisation pour des douleurs sévères. C'est le symptôme qui fait que les malades font appel régulier aux infirmiers ou aux médecins en hospitalisation. L'équipe soignante est dynamique en apportant un réel et grand soutien moral au malade et à sa famille, et surtout soulager le malade. Un dicton de notre **maitre Hippocrate** dit : « *Guérir parfois, soulager souvent, consoler toujours.* »

La sœur religieuse gestionnaire de l'Hôpital Saint Raphaël, avec son cœur d'amour apostolique, a une spécificité dans ce cas, d'apporter un soutien moral et psychologique au malade mais aussi à la famille, aux amis proches et au personnel soignant. Cette tâche n'est pas facile à réaliser surtout dans le cas où le malade arrive à l'hôpital au stade ultime de sa maladie, avec une échéance malheureusement brève pour espérer survivre.

« Il faut sortir de l'idée que la seule façon de mourir dans la dignité serait de mourir en étant euthanasié, pratique courante en Europe, et peu ou pas recommandée en Afrique, question socio-culturelle, où la dignité est inhérente à la nature humaine. Avec les soins palliatifs, le personnel de la structure Saint Raphaël fait tout ce qui est possible pour soulager la douleur du patient en l'accompagnant dans ses questions psychologiques, sociales et spirituelles[12]. Le fait d'apporter un soulagement au patient lui permet de vivre paisiblement sa vie jusqu'au bout[18]. Et c'est la conception que je défends depuis ma prestation de serment en 2016.

1.5.2 Comment organiser les soins palliatifs ?

La méthode en équipe multidisciplinaire est au cœur des soins palliatifs. Elle intègre typiquement la prise en charge de la douleur et des symptômes, les besoins spirituels et psychologiques pour le patient, et le soutien des aidants familiaux au cours de la maladie du patient à domicile ou dans une structure sanitaire ainsi que pendant la période du deuil.

Les malades au stade terminal présentent des pathologies évoluées très diverses et souvent de multiples symptômes qui doivent être soulagés. Il leur faut des schémas thérapeutiques non invasifs, faciles à administrer selon les

---

[18]Eglise Catholique.fr, *soins palliatifs: être soulagé et être écouté*, maison médicale jeanne GARNIER, France

modalités flexibles, surtout pour des cas suivis à domicile. Le principe des soins palliatifs et de fin de vie est centré sur quatre grands domaines : les symptômes physiques ; les symptômes psychologiques ; les besoins sociaux (qui comprennent les relations interpersonnelles, et les problèmes économiques) ; ainsi que les besoins spirituels.[7]

Les objectifs des soins sont établis en discussion avec le patient (si encore conscient) ou la famille. Les interventions visent à améliorer les symptômes et les désirs. L'avis familial doit être complémentaire à celui du patient sinon le désaccord qui va naitre sera difficile à résoudre, et souvent l'avis du patient prime surtout qu'il s'agit de sa vie.

I.6 Perception de la maladie en Afrique et en RD Congo

Dans la région des Grands Lacs Africains, il est important de connaitre la considération du public sur la maladie en général et de sa cause avant d'envisager de parler des soins palliatifs. En effet, une perception plus intellectuelle pousse l'idée du public à considérer une maladie comme toute altération de l'état de santé se traduisant habituellement de façon subjective par des sensations anormales. Dans la conception populaire, toute maladie a une autre considération avec parfois des causes mystiques souvent liées à l'histoire familiale où le bouc émissaire ou le sorcier doit être identifié. Et parfois celui-ci est interdit de rendre visite au malade et de fouler le lieu de deuil si la situation tourne au vinaigre.
En effet, la sorcellerie et l'empoisonnement sont devenus monnaie courante dans le milieu et compliquent la prise en charge avec risque d'intoxication parfois difficile à gérer en hospitalisation.
Un exemple :

Un militaire de haut rang, intellectuel de son état avait depuis sept jours une tuméfaction des deux genoux le poussant à boitiller, après avoir été promu et muté de Kinshasa à l'Est du pays. Ce phénomène a été attribué à son subalterne qui était pourtant à plus de 1500 km. Il disait et avait même fait emprisonner son adjoint pour empoisonnement et atteinte à une autorité militaire.
Avant de nous consulter, celui-ci aurait déjà fréquenté quatre tradi-praticiens pour une prise en charge, c'est-à-dire aux plantes médicinales, ceci pour traiter la Fasciite nécrosante appelée « mulonge » en langue locale.
A son arrivée chez nous, des examens para cliniques ont été faits et un diagnostic clair a été dégagé. Après quatorze jours de soins, il est rentré guéri.

Quelle perception devrions-nous avoir de la maladie?
Je pense il faut avoir l'avis d'un professionnel de santé formé dans le domaine avant de juger d'une maladie. Et dans ce cas, la présence d'un médecin est toujours impérieuse dans la structure sanitaire.

Les soins palliatifs ont-ils une place en Afrique ?
Quant à savoir si les soins palliatifs ont une place en Afrique, il est utile de préciser qu'ils méritent d'être prônés dans la perspective de les intégrer dans les soins de santé primaire. Considérant la culture socio-africaine, ces soins ont leur place et l'euthanasie n'est pas la bienvenue bien que les soins soient devenus un luxe et la maladie comme une nuisance par un proche.

I.7 Les soins palliatifs et les actes à bannir

1.7.1 L'euthanasie

Certains partisans des soins palliatifs en tant que concept de prise en charge, se sont donc opposés à l'euthanasie définie comme l'administration des substances à des doses mortelles dans le but de provoquer la mort dans un objectif compassionnel.

L'euthanasie est le fait pour un tiers compatissant de procurer la mort à une personne atteinte d'une maladie incurable. En droit pénal Français, l'euthanasie est un assassinat[19].

Ceux dont la vie est diminuée ou affaiblie réclament un respect spécial. Les personnes malades ou handicapées doivent être soutenues pour mener une vie aussi normale que possible. Quels qu'en soient les motifs et les moyens, l'euthanasie directe consiste à mettre fin à la vie des personnes handicapées, malades ou mourantes.

La cessation des procédures médicales onéreuses, périlleuses, extraordinaires ou disproportionnées avec les résultats attendus, peut être légitime. C'est le refus d'acharnement thérapeutique. On ne veut pas ainsi donner la mort, on accepte de ne pas pouvoir l'empêcher. Les décisions doivent être prises par le patient s'il en a la compétence et la capacité, ou sinon par les ayants droit légaux, en respectant toujours la volonté raisonnable et les intérêts légitimes du patient.[10]

Même si la mort est considérée comme imminente, les soins ordinairement administrés à une personne malade ne peuvent pas être légitimement interrompus. L'usage des analgésiques pour alléger les souffrances du moribond, même au risque d'abréger ses jours, peut être moralement conforme à la dignité humaine si la mort n'est pas voulue, ni comme fin ni comme moyen, mais seulement prévue et

---

[19]GUILLIEN Raymond ET JEAN VINCENT : *lexique des termes juridiques*, 13 è Edition, dalloz 2001.

tolérée comme inévitable. Les soins palliatifs constituent donc une forme privilégiée de la charité désintéressée. A ce titre, ils doivent être encouragés.

Voilà l'intérêt et l'objectif principal des soins palliatifs que nous prônons et imitons (D'où tirent ses origines pour aider le monde médical et spirituellement certains malades qui se ressaisissent pour Dieu et pour sa miséricorde après les soins palliatifs).

1.7.2 L'homicide volontaire [10]

Le cinquième commandement de la sainte Bible proscrit comme gravement peccamineux l'homicide direct et volontaire. Le meurtrier et ses complices commettent un péché (Bible de Jérusalem : Exode 20,13).[10]

L'infanticide, le fratricide, le parricide et le meurtre d'un conjoint sont des crimes spécialement graves en raison des liens naturels qu'ils brisent. Des préoccupations d'eugénisme ou d'hygiène publique ne peuvent justifier aucun meurtre, fut-il commandé par les pouvoirs publics.

Ce cinquième commandement interdit de ne rien faire dans l'intention de provoquer directement ou indirectement la mort d'une personne. Le droit de l'homme et la loi de l'Eglise interdisent d'exposer sans raison grave quelqu'un à la mort ainsi que de refuser l'assistance à une personne en danger.

L'homicide involontaire n'est pas moralement imputable. Mais on n'est pas excusé d'une faute grave si, sans raisons proportionnées, on a agi d'une manière à entraîner la mort, même sans l'intention de la donner [10,17].

Chapitre II : MÉDECINE PALLIATIVE : LES PRINCIPES DE PRISE EN CHARGE

2.1 Introduction : Les approches palliatives

La médecine palliative est la prise en charge globale et multidisciplinaire de tous les besoins physiques, psychologiques, sociaux et spirituels du malade, mais également du soutien de ses proches, avant, pendant et après le décès.

Reconnaître l'impossibilité de guérir un malade marque incontestablement un tournant dans sa prise en charge thérapeutique. La qualité de vie et le confort sont dès lors des objectifs prioritaires.

Il est impérieux certes de distinguer la phase terminale proprement dite (derniers jours) de la phase palliative qui, elle, peut durer plusieurs semaines, voire quelques mois. Dans les deux cas, il faut utiliser au mieux l'arsenal thérapeutique actuel pour permettre au malade et à son entourage de vivre le moins mal possible la fin de vie.
La prise en charge palliative étant multidisciplinaire, trois approches vont être détaillées[20] : physique ou médicale, spirituelle et psycho-sociale avant d'aborder les suites de prise en charge palliative:

---

[20]Dr LUQUEL Laurence, *soins palliatifs pluridisciplinaires chez un malade en fin de vie, accompagnement d'un mourant et de son entourage*, paris, Février 2005.

2.2 Approche médicale ou physique

Les objectifs prioritaires de cette approche sont les suivants:

2.2.1. Soulager la douleur

Pour bien soulager la douleur, il faut évaluer la douleur à l'aide d'un échelle d'autoévaluation, ou d'hétéro-évaluation chez les patients qui ne peuvent plus coopérer à l'autoévaluation, d'en préciser le type, la ou les causes et de prescrire le ou les antalgiques adaptés en fonction de l'intensité et de la typologie de la douleur.

Le produit analgésique sera administré régulièrement après évaluation de la douleur et en fonction de la demi-vie de la molécule et non à la demande. Mais dans certains cas, nous pouvons donner le produit à la demande. La voie orale sera privilégiée autant que possible[18].

Les soins palliatifs comportent le recours à des produits anti- douleurs. Ce recours peut soulever des problèmes moraux.

On distingue généralement trois classes d'anti douleur : les antalgiques non opioïdes (paracétamol,…), les antalgiques opioïdes faibles (tramadol, codéine,..) et les antalgiques opioïdes forts (morphines et dérivés). Les problèmes moraux se posent surtout à propos du recours aux opiacés et en particulier à la morphine. Pour simplifier, nous parlerons de la morphine[6].

- L'attitude face à la morphine a fortement évolué. Avant, on ne l'administrait qu'en cas de besoin. Maintenant, on n'hésite pas à donner de la morphine en continu, suivant des doses progressives devenant parfois énormes. Le malade souffre beaucoup moins et reste conscient.

- Dans certains cas, il est possible que la morphine puisse abréger quelque peu la vie, en particulier en phase terminale de la maladie. Mais, c'est là une conséquence non intentionnelle d'un acte bon : soigner la douleur et ainsi augmenter notablement la qualité de la vie.

En ce qui concerne l'examen de cas :

Dans certains cas particulièrement grave où les analgésiques ne parviennent pas à soulager suffisamment, on procède parfois à la mise en sommeil. Celle-ci peut être provisoire ou définitive.

- ✓ Elle est provisoire quand le patient se réveille et que l'on poursuit les soins palliatifs pendant son bref réveil ;
- ✓ Elle est définitive dans des cas très exceptionnels, où le patient est rendu inconscient, par exemple par des barbituriques.

La douleur est l'un des symptômes les plus fréquents et les plus sérieux éprouvés par les patients ayant besoin des soins palliatifs. Les analgésiques opioïdes sont essentiels pour les traiter dans de nombreuses pathologies évolutives à un stade avancé. Par exemple, 80 % des patients ayant le VIH/SIDA ou un cancer et 67% de ceux qui souffrent d'une maladie cardio-vasculaire ou d'une bronchopneumonie chronique obstructive éprouveront des douleurs modérées à sévères en fin de vie[18]. Le cas de la maladie de Duchenne, l'atteinte du diaphragme entraîne des douleurs importantes, une analgésie modérée soulage le malade, tant soit peu.

2.2.2. Traiter les symptômes d'inconfort en fin de vie

Chacun de ces symptômes doit bénéficier d'un traitement adapté. Et les symptômes les plus fréquents sont les suivants[18] :

a) La constipation

Très fréquente en fin de vie sous l'effet conjugué de l'alitement, des modifications alimentaires et des opiacés, et aussi une mauvaise hygiène alimentaire. Pour la prévenir, les fruits sont recommandés surtout la papaye et l'avocat.

b) Les nausées et vomissements

Souvent ils sont provoqués par les opiacés, en particulier en début de traitement, et les aliments riches en fibres comme les légumes sont recommandés.

En cas de stase gastrique, le métoclopramide (Primpéran) et la dompéridone (Motillium) normalisent le péristaltisme et relâchent l'antre pré-pylorique.

c) La dyspnée

- ✓ Il s'agit d'une une sensation subjective de gêne respiratoire et n'est pas toujours proportionnelle à une lésion causale. Elle est souvent intriquée à l'angoisse. Les causes organiques principales sont l'encombrement bronchique, l'insuffisance cardiaque, les cancers évolués et quelques pathologies respiratoires sévères.
- ✓ Pour un encombrement pulmonaire, la kinésithérapie est la thérapeutique de première intention.
- ✓ L'oxygénothérapie diminue l'effort respiratoire et rassure le patient.

- ✓ La morphine a un effet bénéfique sur la sensation pénible de dyspnée. Lorsque le patient reçoit déjà de la morphine, il convient d'augmenter les doses jusqu'à la sédation de la dyspnée.

d) L'incontinence et la rétention urinaire

- ➢ L'alitement et la déshydratation favorisent la survenue d'infections urinaires.
- ➢ En phase terminale apparaît une rétention incomplète ou complète par stase fécale et par les médicaments (opiacés et anti cholinergiques). La mise en place d'une sonde à demeure peut, dans ces cas, améliorer le confort.

e) Le sommeil, la vigilance et l'agitation

- ✓ La qualité du sommeil doit être maintenue. Elle est étroitement liée au contrôle de la douleur physique. Elle dépend aussi de l'anxiété et de l'état thymique.
- ✓ Des états confusionnels d'origine multifactorielle (troubles métaboliques, stress, infection, anoxie cérébrale) peuvent apparaître dans les derniers moments de la vie. Ils sont favorisés par la sédation excessive d'origine médicamenteuse. La correction des troubles métaboliques et de l'hyperthermie, la réduction de la thérapeutique améliorent la vigilance. Parallèlement, il est primordial d'aider le patient à garder des repères (chambre calme et éclairée) et des contacts fréquents avec sa famille ainsi qu'avec l'équipe soignante.
- ✓ Si l'agitation est importante avec cauchemars et hallucinations, il faut penser à réduire ponctuellement la posologie des opiacés et à utiliser l'halopéridol.

Aux symptômes d'inconfort, il est important d'assurer un confort du malade sur tous les plans dont voici les soins complémentaires :

- Des soins de base méticuleux participent au confort du malade ;
- La toilette, le coiffage et le rasage doivent être étalés dans le temps en cas d'épuisement physique ;
- La prévention des escarres est capitale ;
- Les massages relaxant apportent du bien-être et améliorent l'antalgie ;

Les soins de bouche réguliers, au minimum toutes les 6 heures, sont essentiels pour permettre au malade de continuer à boire, à manger et à parler devant tout le monde.

f) La bonne pratique de nursing : soins des escarres

Dans la plupart des cas, les malades nécessitant les soins palliatifs, ont par négligence de leurs familles, des escarres car amenés en retard et après un long séjour à la maison ou dans une structure non appropriée. Il faut savoir que les escarres, partout dans le monde posent un sérieux problème dans leur prise en charge.

La première chose à faire dans la prise en charge, est la détersion auto lytique naturelle puis la détersion mécanique ou chirurgicale. Chez nous, la détersion auto lytique naturelle se fait avec un produit liquide et nous utilisons le miel naturel pur chaque jour pendant cinq jours puis une détersion chirurgicale s'ensuit. Après cette dernière, pour favoriser un bourgeonnement rapide, nous avons une méthode propre à nous : appliquer un mélange de povidone iodée 10% avec du miel naturel pur et stérile, ensuite couvrir avec sachet stérile puis appliquer un sparadrap pour éviter l'écoulement de la solution. Cette technique est réalisée tous les deux jours et l'évolution est plus rapide qu'on ne peut l'imaginer.

2.2.3 Assurer une alimentation et une hydratation adaptées

- L'inconfort secondaire à la déshydratation lié essentiellement à la sécheresse buccale est pallié par les soins de bouche. La déshydratation en fin de vie, est une urgence médicale, même si elle est facilement jugulée, sa prise en charge est une urgence[18]
- L'alimentation par la bouche doit être conservée le plus longtemps possible ; la voie parentérale est une gêne pour nos malades en fin de vie, mais aussi pour le personnel soignant, à trouver par exemple un abord veineux ;
- Les quantités liquidiennes absorbées par les patients sont souvent réduites. Il faut donc fractionner les apports liquidiens tout au long de la journée. Les désirs du malade doivent guider le choix des aliments et des boissons proposées. Les aliments les mieux acceptés sont lactés et sucrés, ce qui complique les infirmiers par des caprices difficiles à gérer ;
- L'indication d'une assistance nutritionnelle doit rester exceptionnelle à ce stade. La malnutrition étant une des complications fréquentes des pathologies chroniques, la prévenir est un grand pas franchi pour la bonne suite des autres inconforts chez ces malades. D'où l'importance de l'assistance des sœurs religieuses avec leurs repas spéciaux pour ces malades et la présence d'un centre nutritionnel de suivi avec les plumpy nut ou la bouillie concentrée pour remonter l'état nutritionnel le plus tôt possible vu que parfois le pronostic vital en dépend.

2.3 Approche spirituelle ou existentielle

La religion et la spiritualité sont souvent importantes pour les mourants. Dans notre structure, plus de 98% des malades croient et deviennent plus croyants à cette étape de la fin de vie, et demandent d'être baptisés, et certains d'autres sont réconfortés quand ils reçoivent une prédication au sein même de l'hôpital.

Sous d'autres cieux, comme aux Etats- Unis d'Amérique, près de 70% des patients signalent être devenus plus religieux ou s'intéressent à la spiritualité lorsque leur maladie devient sévère, et un grand nombre trouve un réconfort dans des pratiques religieuses ou spirituelles comme la prière. Cependant, près de 20% des sujets au stade terminal deviennent moins religieux, ressentant fréquemment leur état grave comme une trahison[13].

Pour d'autres patients, le besoin est celui de trouver un sens ou un but à leur existence. Les patients et leurs aidants familiaux souhaiteraient généralement que leur médecin apporte une attention plus importante à la religion et à la spiritualité. D'où l'intervention des Eglises et des personnes de bonne volonté, en créant des centres des soins palliatifs en partenariat avec l'autorité sanitaire nationale.

- ✓ Appréciation

Les personnels soignants hésitent souvent à s'impliquer eux-mêmes dans les expériences religieuses, spirituelles ou existentielles de leurs patients, car cela leur semble du domaine privé, ou sans rapport direct avec la maladie mais surtout par manque d'expérience spirituelle. Ce qui n'est pas une bonne chose pour la prise en charge des malades. Normalement dans chaque structure sanitaire, on devrait avoir un aumônier chargé des malades en permanence et si possible une petite chapelle de prière. Les médecins et les autres membres de l'équipe soignante devraient être néanmoins capables d'identifier les besoins spirituels et existentiels de leurs patients et intéresser le malade et sa famille sur la possibilité de trouver un proche familier pour la prière, ce qui est une bonne chose pour le malade s'il est d'accord, et dans le cas contraire, il ne faut pas insister. Des questions de dépistage ont été développées dans ce but. La détresse spirituelle peut augmenter d'autres types de souffrances et parfois même se manifester par une douleur physique incurable, une anxiété ou une dépression par exemple[13].

Le médecin n'est habituellement pas la personne idéale pour une évaluation plus approfondie à moins que personne d'autre ne soit disponible. Ainsi l''aide d'un religieux est parfois utile, qu'elle provienne de l'institution médicale ou de la communauté du patient ou de la famille.

Je me rappelle un malade qui m'avait demandé de prier pour lui chaque soir, et je lui ai répondu d'être confiant en lui-même et que dès sa sortie de l'hôpital il faudra se faire baptiser.

- ✓ Expérience

De toute façon ; le malade est libre de choisir s'il faut qu'il ait un suivi spirituel, mais médicalement il est très important qu'on sollicite le malade pour ce dernier. On ignore la façon dont les pratiques religieuses, la spiritualité et les explorations existentielles peuvent être facilitées et comment elles peuvent améliorer les soins de fin de vie. Il est cependant clair que, la connaissance de la religion et la spiritualité du patient par les médecins est d'une importance capitale pour identifier ses besoins spécifiques et l'aider à se sentir écouté.

Une étude aux Etats-Unis a montré que la présence d'un membre du clergé était jugée réconfortante pour 36% seulement des personnes qui avaient répondu. Néanmoins, le regain d'intérêt pour la religion et la spiritualité chez un certain nombre des mourants incite à s'enquérir auprès des patients sur la façon dont ce besoin peut être satisfait[18].

Il existe des arguments pour dire qu'il existe des méthodes spécifiques pour prendre en charge les besoins existentiels des patients, qui vont des thérapies des groupes pour les patients en phase terminale à la prise en charge individualisée insistant sur la dignité du patient et la recherche des sens de la vie.

Dans la ville de Goma par exemple, il existe un groupe d'accompagnement des malades pour le suivi médical, et psycho-spirituel des malades chroniques, un groupe d'apostolat catholique, ce qui est à encourager dans notre région[21].

On peut se référer utilement aux expériences d'accompagnement des malades chroniques décrites par le fondateur du Groupe d'accompagnement des malades (GRAM), l'Abbé Innocent NYIRINDEKWE dans son livre : « le Maitre, c'est Lui ».

Quand ma grand-mère a senti venir les derniers jours de sa vie, elle a demandé d'être baptisée. A ce moment-là, elle marchait et faisait tout seul, mais six mois après, elle était clouée au lit avec des hospitalisations récurrentes. Elle était soulagée après le baptême d'un ministre catholique.

---

[21]NYIRINDEKWE Innocent: *le Maitre, c'est Lui*, Presses universitaires la Sapientia, Goma 2018

2.4 Approche psycho-sociale

2.4.1 Traiter une dépression en fin de vie

La dépression à la fin de la vie présente une situation apparemment paradoxale. De nombreuses personnes pensent que la dépression est normale en phase terminale car ces patients sont en train de mourir. La dépression n'est pas une part nécessaire de la maladie terminale et constitue une souffrance inutile. La tristesse, la colère, l'anxiété et l'irritabilité sont des réponses normales à des maladies graves, mais elles ont généralement une intensité modeste et sont transitoires.

La persistance de la tristesse et de l'anxiété est anormale et fait évoquer un épisode dépressif majeur. La fréquence des symptômes dépressifs peut atteindre 75% chez les patients au stade terminal mais moins de 25% de ces patients présentent un épisode dépressif majeur caractérisé[7].

- ✓ *Cause de cette dépression*

Des antécédents personnels ou familiaux de dépression, des troubles bipolaires ou de tentatives de suicide sont associés à une augmentation du risque de dépression chez les patients au stade terminal. D'autres symptômes, tels que la douleur et la fatigue, sont associés à des taux élevés de dépression ; une douleur non contrôlée peut aggraver une dépression, laquelle peut rendre les patients plus gênés.

Enfin, la dépression peut être réactionnelle à la perte de rôle, à l'isolement social et à la solitude.

✓ Expertise :

Il est difficile d'établir le diagnostic de dépression chez les patients en fin de vie car un grand nombre des symptômes végétatifs (insomnie, anorexie, et perte de poids, fatigue, diminution de la libido et difficultés de concentration) sont associés au processus de la mort lui-même. L'évaluation de la dépression chez les patients graves, doit être centrée sur les troubles de l'humeur, l'impuissance, l'absence d'espoir et le manque d'intérêt, de plaisir et de concentration pour les activités habituelles.

Certaines pathologies peuvent être confondues avec la dépression. Des maladies endocriniennes comme l'hypothyroïdie, des troubles hydro-électrolytiques tels que l'hypercalcémie et l'akathisie, notamment secondaire aux antiémétiques bloquant la dopamine tels que le métoclopramide peuvent simuler une dépression et doivent être éliminés.

✓ Prise en charge de la dépression

Les médecins doivent traiter tout symptôme physique, tel que la douleur, susceptible d'entraîner ou d'aggraver une dépression. Favoriser l'adaptation aux nombreuses pertes dont le patient fait l'expérience peut également être utile. Les interventions non pharmacologiques notamment les conseils psychologiques en groupe ou individuels, et les thérapies comportementales comme la relaxation sont parfois utiles, en association au traitement médicamenteux. Les interventions pharmacologiques demeurent au cœur du traitement. Les médicaments de la dépression sont les mêmes, que le patient soit au stade terminal ou non. Les psychostimulants peuvent être préférés chez les patients dont le pronostic est mauvais ou chez ceux dont l'asthénie ou la somnolence sont induites par les opiacés[13].

2.4.2 Les solutions aux besoins sociaux

J'apprécie cet adage:*« ma famille d'abord »*. Les autres viennent toujours après le premier pas de la famille.

Certaines solutions aux problèmes sociaux sont cruciales pour un bon accompagnement vers la fin de la vie. Il s'agit des charges financières, des relations et des aidants familiaux.

- La charge financière :

Très difficile à gérer, ce besoin est difficile à résoudre et il est nécessaire de savoir qu'il est crucial et complexe pour le suivi de la prise en charge. Surtout qu'en Afrique le coût des soins est élevé mais aussi le coût de vie, surtout à cause de l'inexistence des politiques d'assurance maladie.

- Les relations du patient:

La possibilité de régler ses questions personnelles et de mener à terme ses relations humaines est un besoin universel. Tout le monde a besoin de faire ses adieux aux amis, aux familiers et aux proches. Les membres des familles endeuillées qui n'ont pas eu la chance de faire les adieux ont souvent des processus de deuil plus difficile, surtout en Afrique, où la famille passe avant toute chose.

- De la gestion des différentes relations

Les soins aux patients en phase terminale nécessitent des efforts pour faciliter les rencontres et libérer du temps à consacrer à la famille et aux amis. Il faut pouvoir adapter, pour les familles et les amis proches, des horaires de visite larges et sans limite pouvant comprendre la possibilité de dormir près du patient même dans une institution qui ne le permet habituellement pas.

Les médecins et les soignants peuvent faciliter ces rapports et résoudre des relations dues entre les patients et les membres de la famille. Une assistance aux patients et aux membres de la famille qui ont des doutes sur la façon dont ils vont créer ou garder les souvenirs, peut être appréciée, que ce soit en fournissant un album pour des photographies en famille, ou autres choses comme des faits vécus.

- Les gardes malades ou aidants familiaux :

Les soins aux malades en phase terminale imposent un fardeau aux familles auxquelles on demande fréquemment de se charger des tâches ménagères ainsi que d'autres services ; généralement, des salariés comme les infirmières des soins à domicile et des auxiliaires de santé. Le nombre de plus en plus élevé des décès en dehors de l'hôpital augmente le besoin d'implication des familles pour les soins de fin de vie.

De façon croissante, il est demandé aux familles de réaliser les soins tels que la mobilisation et la toilette, mais également les soins médicaux (comme surveiller les symptômes et administrer les médicaments) en plus du soutien moral et émotionnel. Que ceci se passe à domicile ou à l'hôpital, la famille doit être capable à résoudre certains problèmes comme les symptômes d'inconfort, les plus simples possible.

Le trois quarts des aidants des malades au stade terminal sont des femmes : épouses, filles, sœurs voire belles-sœurs. Ceci est une des grandes valeurs en Afrique mais contraste avec la place que la famille accorde à la femme. Cela s'explique par le fait que c'est l'homme qui cherche le pain du jour.

✓ Appel aux aidants familiaux

En Afrique, on n'a pas besoin de chercher ces aidants, ils viennent d'eux-mêmes par obligation familiale pour éviter des courroux des familiers.

2.4.3 Etre régulièrement au chevet du malade

Ce point est important pour le malade et pour la famille consolatrice de tous les jours. Il s'agit d'une présence infirmière, familiale ou même amicale pour un bon confort.

- L'étape cruciale est celle-ci où la sœur religieuse gestionnaire ou ses consœurs interviennent avec une joie immense pour leur apostolat lui destiné, avec l'assistance régulière des parents, frères et sœurs et des amis les plus proches pour procurer au malade la joie d'être soutenu, en encourageant les familiers pour leur visite régulière.
- La fin de vie provoque une période de crise psychologique intense durant laquelle la personne doit intégrer les pertes, accepter les changements, faire le deuil intérieurement de sa vie et être capable de réinvestissement dans une existence devenue autre.

Les visites se font régulièrement au moment voulu pendant la journée et pour tout le monde, sans discrimination familiale ni amicale avec toute fois la volonté du malade qui peut accepter ou refuser d'être visité.

Chaque malade, dans son état se choisit les visiteurs qu'il veut, il est étonnant que certains de ces malades, (qui sont souvent dans un état désespéré) se créent, en des rares cas, des conflits dans leurs familles, soit avec un proche parent ou enfant. Et quelquefois, certains malades interdisent à certaines personnes de ne jamais fouler le centre où ils sont suivis pour leur rendre visite ou à leur domicile s'ils y sont suivis. Dans notre hôpital, c'est à ces occasions que notre sœur gestionnaire intervient pour renouer les bonnes relations familiales avec le malade. Le dernier cas était une discorde entre un homme et son épouse qui était suivie dans notre structure pour ostéosarcome du genou droit.

2.5 Les suites de prise en charge palliative

2.5.1 Evaluation des résultats

Plusieurs méthodes validées disponibles actuellement ne permettent pas de mesurer la qualité de la prise en charge médicale ou psycho- sociale de la fin de vie puisque les soins palliatifs ne considèrent pas la mort comme un échec mais comme un résultat.

Mais aussi, les familles des patients qui reçoivent des soins de fin de vie peuvent ne pas désirer les éléments admis généralement comme positifs dans les évaluations de qualité de vie. Il est difficile de mesurer le contrôle des symptômes, l'amélioration des relations familiales et la qualité du deuil, vu que ces éléments sont rarement l'objectif prioritaire des outils de mesure des résultats bien développés ou largement utilisés.

Pour les médecins et les chercheurs en santé en général, le résultat est aussi important dans les soins de fin de vie que dans tout autre domaine de la santé[22]. Ce domaine des soins de fin de vie est prêt à entrer dans une ère moderne de pratiques fondées sur les preuves et d'amélioration continue

---

[22]SHARON BAXTER, Association canadienne des soins palliatifs : *modèle des soins palliatifs fondé sur les normes de pratique et principes nationaux* ; hôpital saint Vincent, Ottawa, septembre 2013

grâce aux essais cliniques. Certains pays ont déjà entamé ces essais comme les Etats-Unis avec des multiples publications sur les soins palliatifs mais aussi plusieurs autres pays développés. Il est souhaitable que les pays africains leur emboiter les pas en imitant les bonnes lois pour le bien-être des malades incurables.

2.5.2 Information à la famille

C'est l'étape capitale pour la poursuite de la prise en charge, et de laquelle tout le reste dépendra, comme la décision du malade et de sa famille. Ici il faut jouer de la prudence en étant très véridique, car le mensonge est un élément destructeur. Particulièrement lorsqu'une maladie met en jeu le pronostic vital, de nombreux moments forts en émotion peuvent être à l'origine des conflits que l'on regroupe sous le nom de « *situations délicates* » dans lesquelles l'empathie ainsi qu'une bonne maîtrise de la communication sont essentielles[23]. C'est le moment le plus difficile pour un médecin ou infirmier de faire une annonce de ce genre de diagnostic qui engloutit tout un futur en un seul jour. Ces moments comprennent l'annonce au patient ou à sa famille du diagnostic de la maladie terminale, du pronostic, de l'échec de tout traitement, de l'allègement des efforts pour guérir et prolonger la vie en s'intéressant plus à la prise en charge des symptômes et à leur atténuation.
Il faudra fournir régulièrement aux proches des informations, leur apporter l'écoute et le soutien psychologique dont ils ont besoin pour affronter l'épreuve que constitue pour eux la séparation prochaine d'avec un être cher en fin de vie.

[23]Organisation mondiale de la Santé, *Plan d'action pour la stratégie mondiale de lutte contre les maladies non transmissibles*, Genève 2008

Chapitre III : CAS CLINIQUES DES SOINS PALLIATIFS : MON INTÉRET

3.1. Introduction

3.1.1 Les soins palliatifs à prôner : pourquoi s'intéresser à ce sujet ?

Réponse difficile mais c'est par ce que le concept soins palliatifs est quasi inexistant en Afrique, en RD Congo et particulièrement dans notre région des Grands Lacs Africains où la population ignore l'importance des soins pour une maladie incurable.

Je me souviendrai toujours de ce patient de 25 ans atteint d'un rabdomyosarcome malin de la cuisse gauche. C'était vers la fin du mois de novembre de l'année 2018 que notre patient fît sa première consultation chez nous pour une petite masse molle non douloureuse à la face interne de la cuisse gauche. A sa deuxième consultation, sans détailler les consultations antérieures dans d'autres structures médicales dont l'histoire reste floue avec notion d'une hospitalisation dans deux structures différentes. A l'Hôpital Saint Raphaël, sur base des résultats de la biopsie et du scanner (que nous avons demandés), nous l'avons hospitalisé sans nous poser trop de questions dans le service de médecine interne. Vu les résultats et l'évolution si rapide de la masse, nous avons constaté que le patient aurait consulté en retard car c'était un cancer avec métastase silencieuse au niveau pulmonaire. Trois jours après son hospitalisation, il s'est observé des hémoptysies à répétition inquiétantes pour le corps médical et pour la famille, du fait que l'évolution était si rapide qu'on ne le croyait. Deux semaines après, le pronostic était déjà sombre, et le seul remède n'était que les soins palliatifs, entreprise difficile vu le jeune âge de notre patient.

Il souffrait horriblement que toute prescription n'était que médicale. Sa prise en charge était générale mais frustratrice et la péthidine qui devrait être administrée selon la cotation de la douleur, après un avis médical dans tout le cas était heureusement toujours disponible dans notre structure.

Je me souviens toujours de sa mère. Elle m'avait un jour suivi pendant le tour de salle et m'avait dit avec supplications : « *je sais que ma fille ne sera pas guérie, mais donner à temps et régulièrement à mon enfant les médicaments pour qu'il soit soulagé, et endormi le soir pour qu'il se repose la nuit* ».

Les geignements et les pleurs de son enfant étaient traumatisants et insupportables pour tout le monde, d'abord et surtout pour sa mère et ses frères ; ensuite pour les autres malades et aussi pour le personnel soignant qui ne pouvait accepter qu'elle finisse sa vie avec cette douleur inhumaine, alors que nous étions permanents et capables de le soulager.

L'attitude de cette mère au cœur aimable mais inconsolable face à la maladie de sa fille a interpellé ma conscience à considérer autrement la nécessité ou l'importance des soins palliatifs. Ce qui est aussi plus inquiétant dans notre région, est l'absence même d'un hospice dans un grand pays comme la RD Congo avec plus de 80 millions d'habitants.

3.1.2. Mon patient mourut soulagé en confiance

Pendant le tour de salle matinal, un jour ce patient me parla avec un visage désagréable : *« Docteur, quand je suis soulagé je me sens être aux anges mais quand les douleurs réapparaissent, c'est comme un enfer dans une chambre de l'hôpital* ». Et soudainement, elle insinua son inquiétude : « *Docteur, si je mourrai en ressentant ces douleurs, Dieu aurait- il les deux bras pour m'accueillir ou une place à me donner dans son royaume ?* ». Pour être franc, les larmes m'ont coulé des yeux ce jour- là, j'avais des fourmillements généralisés après sa question vu que je n'avais pas de réponse instantanée et appropriée.

Cette histoire a marqué un tournant majeur dans ma vie professionnelle et même spirituelle. J'ai vite compris que, malgré les années passées à la faculté, j'avais encore beaucoup de matières à apprendre surtout sur la prise en charge des patients souffrant des maladies incurables, en l'occurrence le cancer et une prise en charge familiale.

Personne ne maîtrise l'avenir ni ne peut même prédire sur l'avenir de quelqu'un. Un mois après la bouleversante question de mon patient, celui-ci mourut sans douleur et soulagé mais entouré d'un personnel soignant frustré vu son jeune âge.

Quand j'ai vu la dernière fois le visage de mon patient, j'ai vite eu une phrase deAlexis Carrel dans « *l'Homme, cet inconnu*[24] » : « *Le visage exprime des choses plus profondes encore que les activités de la conscience. On peut y lire, non seulement les vices, les vertus, l'intelligence, la stupidité, les sentiments, les habitudes les plus cachées d'un individu, mais aussi la constitution de son corps, et ses tendances aux maladies organiques et mentales.* »

3.1.3 Soulager la souffrance de nos patients : ma première patiente

Ma première patiente qui nécessitait les soins palliatifs, là où ceux-ci avaient une importance aux yeux des gestionnaires, ce fut à l'hôpital Saint Raphael de

---

[24]Alexis CARREL, *l'homme cet inconnu*, France Sainte-Foy-Lès-Lyon 1936

Ntamugenga dans le Rutshuru. Le premier malade fut un cas avec ostéosarcome du genou droit chez une patiente âgée de soixante ans avec des escarres très profondes au troisième degré au niveau des deux fesses. Une patiente qui a totalisé déjà plus de dix-huit mois sur son lit, avec cette maladie qu'elle supporte et qui comprend la situation dans laquelle cette maladie l'a mise. Une patiente qui, au départ était capricieuse, pensait à une fin de vie rapide mais actuellement maîtrisée car soulagée régulièrement, et guérie des escarres profondes qui risquaient de l'emporter pendant ses derniers jours sur terre.

Ma première crainte sur la réussite d'administrer les soins palliatifs était de voir la souffrance que provoquent souvent ces maladies incurables, souffrances que ces malades traversent au départ dès leur admission dans une structure sanitaire avec toutes leurs inquiétudes pour y être suivis. C'est quand j'étais dans une formation dans un centre de soins palliatifs Saint Jean Paul II géré par la Congrégation des Sœurs des Anges, un Hospice de Kabuga à Kigali au Rwanda, que j'ai appris l'importance des soins palliatifs.

A l'hôpital Saint Raphaël de Ntamugenga en RD Congo, notre gestionnaire, Sœur Agnieszka GUGALA, soucieuse du bien-être de nos malades, a décidé que chaque recrutement ou permutation d'un médecin se suive d'un encadrement par la Sœur supérieure de la Congrégation gérant le centre des soins palliatifs Saint Jean-Paul II de Kabuga.

Nous y avons été très bien accueilli pour une mise au point sur les soins palliatifs car quasi inexistants dans les autres structures où nous étions passé. Ce centre, reçoit tous les jours des malades de toute la région des Grands Lacs Africains.

Depuis, j'ai vite compris que la prise en charge d'un patient devait être globale, et qu'elle ne devrait pas être seulement physique mais également psychologique, sociale et surtout spirituelle sachant qu'une fin de vie est souvent brutale, et que seul Dieu détient le secret de la mort, surtout que personne n'a l'expérience de la mort.

3.1.4 L'ignorance tue

Les soins palliatifs ne se basent pas sur le seul problème de la consultation mais aussi de la connaissance de la maladie, de l'information sur les soins palliatifs et toutes les autres facultés y afférentes chez une personne souvent dans une période en fin de vie, en visant l'amélioration de la qualité de vie des patients et de leur famille face aux conséquences d'une maladie potentiellement mortelle.

Et c'est par la prévention de certaines complications et le soulagement de la souffrance, identifiées précocement et évaluées avec précision que ces soins sont administrés en bonne et due forme. Il faut non seulement traiter la douleur, mais aussi prendre en charge les autres problèmes physiques, psychologiques et spirituels qui lui sont liés.

A cet égard, l'Afrique est à la traîne ; et l'accès aux soins palliatifs y est presque inexistant. La douleur y est également mal traitée, pour diverses raisons.

Primo, les médecins, les infirmiers et particulièrement les familles ont encore des idées fausses et sur l'utilisation de la morphine et de ses effets secondaires.

Secundo, le personnel soignant ne sait pas toujours comment gérer la douleur des patients souvent cancéreux, mais aussi l'ignorance des pathologies nécessitant les soins palliatifs en l'occurrence les cancers et les autres pathologies chroniques, cela par manque de formation du personnel soignant en la matière.

Tertio, la faiblesse des stocks et une bureaucratie cauchemaresque compliquent bien souvent l'accès aux médicaments essentiels, y compris à la morphine, qui est pourtant un opiacé crucial dans la prise en charge des douleurs sévères chez les patients cancéreux. Mais aussi l'ignorance des pathologies nécessitant les soins palliatifs, en l'occurrence les pathologies chroniques par manque de formation et d'information.

Une idée me revient souvent sur la non-application des soins palliatifs ailleurs. Le personnel soignant pense toujours guérir toutes les maladies, ce qui n'est pas la principale visée thérapeutique, qui au contraire est de guérir, soulager et de toujours consoler les patients et leurs familiers.

Quarto, la population n'est pas informée ni sensibilisée. Elle ne connait même pas l'utilité des soins palliatifs, ce qui n'est pas un facteur négligeable.

3.2 Soins palliatifs à domicile : suivi de ma grand-mère

Dans tous les cas, les soins palliatifs ne sont du tout pas compliqués. Il ne s'agit que des mesures à prendre pour soulager le patient et lui permettre de continuer à gouter le bonheur de cette vie.

Ma grand-mère, âgée de 90 ans en 2019[25] *souffre depuis plus de 4 ans d'une lombalgie chronique exacerbée sur une*

[25] Née en 1929. Son papa savait lire et écrire, il était commis aux fiches des impôts et recensement dit des ''Indigènes''. A cette occasion il notait scrupuleusement les dates de naissance de ses enfants.

sénilité. Incapable de se mouvoir, elle ne reste qu'au lit depuis sa dernière hospitalisation il y a 6 mois dans un Hôpital Général de Référence de Goma.

Ce n'est pas facile quand un médecin vous annonce qu'il n'y a rien à faire à part les soins d'accompagnement de fin de vie, surtout lorsqu'il s'agit d'un familier ou d'un proche. Une chose est sûre, la mort en Afrique est un mystère que tout le monde cherche à contourner. Cependant, personne ne peut y arriver. Certains soins pallient aux difficultés de la vie et offrent seulement une chance de vivre même 6 mois voire, des années.

Voici quelques exigences palliatives pour le suivi de ma grand-mère :

1) Réhydratation :

Pour pallier la déshydratation de ma patiente en fin de vie, un demi-litre d'eau au quotidien lui est régulièrement administré lorsqu' elle est lucide et capable de boire sans insistance. Mais lorsque son état de santé se dégrade et que la voie orale n'est pas possible souvent un demi-litre de sérum physiologique est rendu disponible tous les jours et administré par voie intra veineuse. Il serait nécessaire de savoir que pour ce genre de malade, la quantité de liquide à donner doit être réduite en craignant un œdème pulmonaire par surcharge liquidienne mais en plus elle ne doit pas manquer pour éviter une déshydratation.

2) Fruit au quotidien :

Les fruits préférés de ma grand-mère sont l'avocat et la prune. Mais cela n'exclut pas que les familiers et les autres visiteurs apportent d'autres variétés de fruits comme l'ananas, l'orange, la mangue, la banane, et la papaye.

Matin et soir, les fruits lui sont régulièrement donnés et souvent sur sa demande. Ce qui lui évite les risques de constipation.

3) Analgésiques :

Faciles à juguler, les douleurs lombaires de ma grand-mère répondent mieux aux analgésiques mineurs, à une combinaison de tramadol et de diclofénac. Souvent, nous y associons la thiamine ou l'aneurine. Une combinaison administrée par voie orale est vite arrêtée s'il y a cessation de ces douleurs. Ces analgésiques sont administrés après l'évaluation de la douleur. Etant lucide, nous utilisons l'échelle de cotation de la douleur, qui varie souvent chez elle entre 4 et 6 sur l'échelle de 10.

4) Antibio prophylaxie :

Tous les trente jours, nous préférons et autorisons à un infirmier de la famille de passer au domicile de la grand-mère pour lui administrer un antibiotique souvent par voie orale et quelque fois, par voie intraveineuse, si elle n'est pas capable de boire.

Cette antibio prophylaxie, chez ma grand-mère, prévient les infections urinaires de stase.

5) Autres produits médicamenteux :

Des médicaments préventifs sont achetés régulièrement pour éviter des pathologies précoces faciles à juguler d'avance, et ces produits sont les suivants :

- ✓ Un vermifuge, comme l'albendazole, est administré tous les trois mois ;
- ✓ Des vitaminiques, comme la vitamine B complexe, la vitamine C et la thiamine ;

- ✓ La multi- vitamine une fois le mois comme apéritif avec effet placebo quelquefois et pour prévenir certaines carences vitaminiques.
- ✓ La sulfadoxine- pyriméthamine ou le fansidar pour prévenir le paludisme, administré tous les trois mois.

6) Hygiène corporelle :

Chaque matin, à son domicile un bain général est fait à la patiente qui se sent toujours aisément dégagée par cet acte charitable effectué par sa fille Odette BATECHI depuis le début de sa maladie. Le soir, un bain intime, un changement de la literie et le retournement se font pour éviter les escarres de décubitus. Le retournement n'est pas réalisé chaque jour étant donné que notre patiente est lucide.

7) Alimentation :

Ma grand-mère est presque déjà à mobilité réduite, ce qui fait que son métabolisme de base est lent, et donc il n'y a pas une hyperconsommation d'énergie. Le seul mouvement se fait à moins de deux mètres pour aller au salon et saluer ses visiteurs. Pour cela, une alimentation fractionnée et équilibrée faite d'aliments liquides et semi-liquides lui est administrée toutes les quatre heures, avec un accompagnement de fruits pour un apport des fibres.

8) Présence régulière des familiers

C'est à cet 'âge que tout le monde veut se montrer être lié à la personne malade avec des visites intempestives et des prières de tout genre, pour remplir les besoins socio-spirituels. La fin de la vie provoque de crises psychologiques et nostalgiques intenses, ce qui oblige tout le monde à passer régulièrement pour pallier les besoins sociaux.

Notre famille vient d'un village "mythique" situé à 120 km de la ville de Goma, appelé Bincha où presque tous mes grands-parents ont été enterrés, aux côtés de leur père, mon arrière-grand-père le chef Petro MURAIRI. Pour chaque visiteur, ma grand-mère répétait une phrase touchante : « *je vais bientôt partir dans mon village de Bincha à côté de mon père* », alors qu'elle était lucide et consciente de ce qu'elle dit. Tout le monde se demandait, si c'était pour nous infliger la douleur de sa mort ou nous préparer à sa mort prochaine ou pour nous dire au revoir. Personne ne savait ce qu'elle voulait ou ce qu'elle avait en tête. Ce qui est étonnant, c'est qu'elle accompagnait toujours sa phrase devenue presque magique, d'un sourire, ce qui traduisait, selon moi, son bien-être.

Dr Jeannot et sa grand-mère Bihendo Murairi Angèle, dansune réunion dans la salle du Collège Mwanga (photo Collection familiale, Goma 2014)

9) Entre la vie et la mort

Un certain mardi 9 juillet 2019, je me suis rendu dans la ville touristique de Goma pour régler un petit pépin à la banque avec Blandine MAPENDO ma grande sœur, et le soir j'ai fait un petit crochet chez ma mère, où ma grand-mère recevait ses soins palliatifs sous la surveillance de deux infirmiers dont un cousin proche. A mon entrée, au premier vu, c'était des visages lugubres de mes oncles maternels. Je les avais gentiment salués avec dans ma tête que c'était à cause de l'état de santé médiocre de ma grand-mère que j'aimais de tout mon cœur, car elle était ma première conseillère, elle, Angela BIHENDO.

Après avoir déposé mon petit sac au dos dans la chambre de mon petit frère, je suis vite parti saluer ma grand-mère dans sa chambre où se trouvaient trois personnes, toutes avec des larmes aux yeux. Toutes, des filles de ma grand-mère dans le crépuscule de sa vie et parmi lesquelles ma mère Odette BATECHI, la garde malade par excellence, sa petite sœur Justine BUCHAGUZI et cadette de sa famille venue de Kinshasa pour saluer sa mère mourante. Tourmentée par l'état de sa mère, elle était cachée dans une chambrette avec un chapelet en train de prier. Ironie du sort, elle m'avait salué avec un sourire armé de pleurs, et à mon insu des larmes coulèrent à mon visage. La troisième personne était leur grande sœur ainée Pauline BULEMBE.

Je m'étais rapproché du lit de ma conseillère, l'avais examinée et avais remarqué qu'elle était déjà en coma. J'avais eu la chair de poule avec des frissons. Brusquement, j'avais appelé mon cousin Innocent Bulembe pour qu'il amenât sa voiture avec Gratien BAHATI et nous avions acheminé la patiente mourante à l'hôpital le plus proche, cela sans demander l'avis de mes tantes et de ma mère.

Trois jours après, elle se réveilla, reconnut les gens et leur parla mais difficilement. Tout le monde m'avait appelé pour dire merci. Mais malheureusement, elle rechuta en coma et des chuchotements entre familiers survinrent en se posant beaucoup de questions sur le lendemain si elle allait se remettre comme l'autrefois.

A 90 ans, pour moi la mort est la bienvenue, une fête est autorisée. Surtout qu'on atteint la barre et le nuage d'années. On n'échappe pas à la mort car celle-ci est une nouvelle ère, une entrée dans un lieu inconnu.

Enfin, elle mourut d'un choc septique vers 3h15 du matin du lundi 15 juillet 2019.

3.3 Patients suivis à l'hôpital Saint Raphaël de Ntamugenga (Territoire de Rutshuru, Province du Nord-Kivu)

1) Cancer du colorectal

Les cancers sont les premières pathologies qui nécessitent les soins palliatifs, surtout au stade très avancé.

Pour ce cas, il s'agit d'un cancer colorectal avec métastase pulmonaire. La gestion difficile des douleurs et de l'hypoglycémie à répétition nous a mis le bâton dans les roues. Un grand enfant âgé de 10 ans, écolier dont, au départ, avant la biopsie, l'hémorroïde interne était considérée comme le diagnostic de présomption.

Durée d'hospitalisation : soixante-dix-sept jours dont trente sous oxygène.

Le diagnostic dont la découverte a été tardive. L'enfant est arrivé dans notre structure après avoir déjà eu des métastases pulmonaires. A notre niveau, seuls les soins palliatifs n'étaient indiqués pour sa prise en charge, chose pas facile étant donné son jeune âge. L'hypoglycémie emporta notre patient dans les bras de sa mère vers quatre du matin.

D'étiologie vague, deux facteurs de risque de ce cancer colorectal ont été mis en question : le syndrome héréditaire dont la polypose colique ou la poly-adénomatose familiale (transmission autosomique dominante) et une maladie inflammatoire intestinale (colite).

Cliniquement, dès son arrivée dans notre structure : douleurs abdominales tenaces sous forme des crampes, des selles rubanées sanglantes dures, une fatigabilité prononcée. Sa prise en charge était complexe, et nous a coûté nos ongles dès que nous avons détecté qu'il s'agissait d'un cancer, dix jours après son hospitalisation, surtout avec la présence des images en lâché de ballon à la radiographie du thorax.

L'hypoglycémie à répétition est la preuve d'une atteinte hépatique. Mais l'absence des produits spécifiques pour la prise en charge de ce jeune enfant aurait précipité sa mort, surtout le 5-fluoro-uracyl et d'une radiothérapie curative.

2) Cancer des deux seins

Une gestante âgée de 25 ans, multipare consulte pour tuméfaction douloureuse des deux seins sur une grossesse estimée à 28 semaines d'aménorrhée.

A l'examen physique, dans chaque sein, une petite masse était palpable au début, mais qui avait évolué si rapidement que personne n'imaginait un pronostic sombre.

A l'examen anatomopathologique, un cancer des deux seins est diagnostiqué cinq jours après son admission dans notre structure sanitaire. D'évolution rapide, notre patiente a fait quarante-huit jours sous des antalgiques majeurs, les morphiniques telle que la Péthidine administrée deux fois par jour.

Décédée dans un tableau de détresse respiratoire aigüe sévère, elle a laissé couler les larmes au personnel soignant qui avait pourtant l'espoir de voir à terme la grossesse et d'élever le nouveau-né.

3) Ostéosarcome du genou droit

Avec des métastases pulmonaires depuis près de dix-huit mois, une patiente âgée de soixante ans est le plus ancien de malades de l'hôpital. Ses douleurs répondent mieux aux analgésiques surtout à la Péthidine.

Guéri de ses escarres des deux fesses, notre vieux malade maîtrise la situation surtout que ses besoins spirituels et sociaux sont remplis régulièrement. Des visites régulières de tout genre lui sont accordées, ses enfants qui se permutent pour être gardes malade, sont aussi soulagés des différentes visites familiales, pour accompagner une femme courageuse en fin de vie.

4) Ostéosarcome du genou droit

Enfant de 12 ans, atteint d'une tumeur au genou droit datant de plus de 2 ans. Traité sans succès aux produits indigènes par un tradi-praticien de son village, l'enfant nous a été amené dans un état prostré et dont l'hémoglobine était à 5 grammes par décilitre, et donc transfusé dès son admission.

A l'examen anatomopathologique, une tumeur maligne a été confirmée. A la radiographie du genou droit, pas d'atteinte du fémur et celle des poumons reprise trois fois pour exclure toute métastase infiniment petite. Heureusement il n'y a pas eu des métastases pulmonaires, ce qui était un bon signe pour le chirurgien orthopédiste.

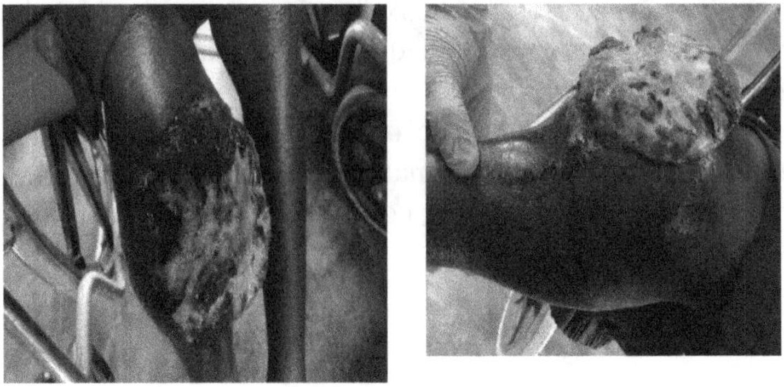

Photo Collection Jeannot Ntam2019 : image montrant l'ostéosarcome du genou droit chez un petit enfant de 10 ans.

Durée d'hospitalisation : 59 jours y compris les huit jours post opératoires.
Le chirurgien orthopédiste a décidé ainsi une amputation non de propreté comme le prétendaient beaucoup de nos confrères et même les assistants dudit chirurgien. Une amputation bien évaluée a sauvé le jeune garçon qui vit avec sa béquille jusqu'à présent. Un geste salutaire apostolique des Sœurs de la Congrégation des Sœurs des Anges, dont les parents en sont et resteront toujours reconnaissants.

5) Lymphome malin de Burkitt

Atteint d'une tumeur de la joue droite, un petit enfant malade depuis plus de cinq mois, suivi dans un centre de santé de son village très loin de notre hôpital où les examens de labo spécifiques sont inexistants, traité par acharnement thérapeutique par des infirmiers non qualifiés puis transféré dans notre structure à un stade avancé de la maladie. Nous avons conclu à une tumeur de Burkitt très avancée.
Durée d'hospitalisation : 41 jours.

Une alimentation et une réhydratation adaptées n'étaient que les mesures que nécessitait le jeune enfant pour l'accompagner aisément dans les derniers jours de sa vie. Divorcés suite à un conflit lié à l'état de l'enfant même, ses parents éprouvaient une impuissance face à l'énorme douleur de leur enfant.

6) Syndrome de Lyell

De description difficile, un cas casse-tête pour toute l'équipe médicale qui a souffert jusqu' à la fin de la vie de ce jeune gamin de 13 ans.

Il s'agit d'un cas dont les parents auraient donné des plantes médicinales traditionnelles pour soigner une fièvre et des vomissements. Deux jours après la prise de ces produits, l'enfant a développé des phlyctènes sous forme de brûlures au niveau de la face antérieure des deux jambes. Trois jours après leur rupture, c'était sous forme de brûlure. Les parents ont alors décidé de consulter notre structure et nous avons estimé la brûlure à environ 15 à 20% de surface corporelle brûlée de la règle de neuf de Wallace, avec des érythèmes sur quelques endroits, d'une profondeur de deuxième degré. Sept jours après son admission, la brûlure a pris une surface corporelle estimée à 95% avec une perte totale de la sensibilité. A cette étape, l'enfant ne ressentait plus de douleurs et la peur a eu à faire trembler tout le monde sur la prise en charge de ce cas si complexe chez qui la cause est restée indéterminée.

L'enfant mourut sept jours après qu'il y ait eu perte totale de la sensibilité, d'une mort silencieuse et sans même que sa mère ne le sache. C'est un visiteur qui l'avait découvert, de passage pour alimenter l'enfant.

Durée d'hospitalisation : 13 jours

Prise en charge :

- ✓ Réhydratation selon la formule d'Evans ;
- ✓ Alimentation per os au départ puis parentérale quand la brûlure a atteint plus de 50 %. Mais avant, l'enfant collaborait aisément avec tout le monde ;
- ✓ Une hygiène corporelle exécutée par le personnel soignant souvent la journée pour éviter une hypothermie le matin ou le soir. Avec une aération de la chambre en permanence ;
- ✓ Analgésiques toutes les quatre heures et quelque fois sur demande de l'enfant après évaluation de l'échelle de la douleur ;
- ✓ Antibiothérapie faite dès son admission ;
- ✓ Une préparation psychologique et spirituelle de la famille pour l'avenir de l'enfant qui n'était même pas baptisé au départ ;
- ✓ Antiseptiques locaux utilisés : Bétadine gel, Flamazine ;
- ✓ Un inhibiteur de la pompe à proton pour prévenir un ulcère de stress : oméprazole[26].

---

[26]Professeur Astrid WILK, *traitement des brûlures*, service de stomatologie, chirurgie maxillo-faciale et chirurgie plastique, Strasbourg 2005

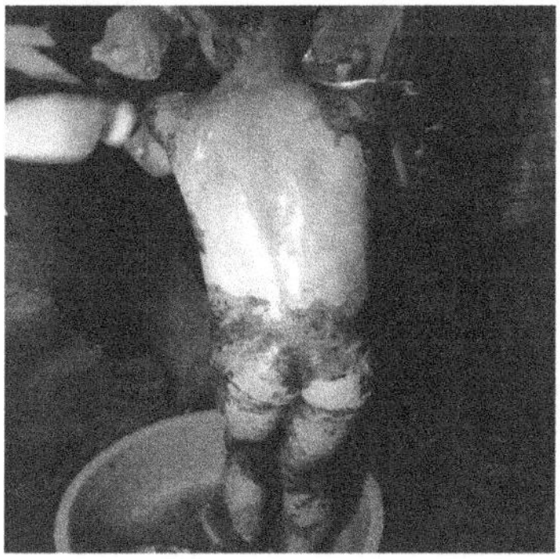
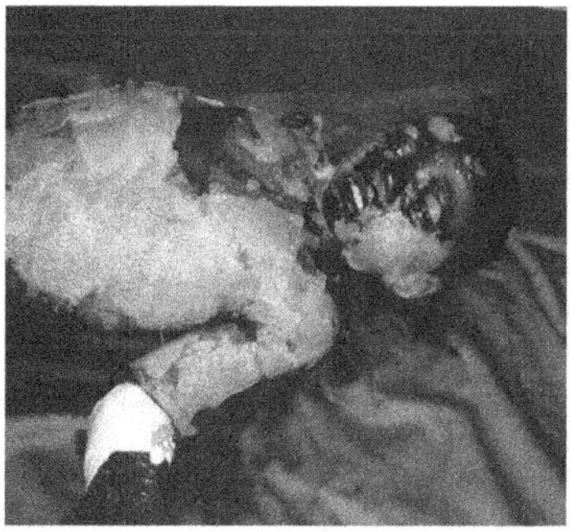

Photo collection Jeannot, Ntam2018 : ces deux photos montrent les lésions du petit enfant avec syndrome de Lyell post-prise des plantes médicinales, brûlure au deuxième degré profond.

7) La syphilis neurologique ou la Neurosyphilis

Durée d'hospitalisation : 45 jours
Il s'agit d'une patiente suivie pour neuropathie périphérique dont les examens de laboratoire ont confirmé la neurosyphilis. Traitée pendant plus d'un mois, la patiente s'est sentie soulagée puis est rentrée à domicile pour poursuivre ses soins palliatifs sous forte analgésique bien contrôlée.

8) Vih Sida stade 4 de l'OMS

Durée d'hospitalisation six mois et 25 jours, soit 205 jours.

Une patiente séropositive, très capricieuse à garder, était devenue oxygéno-dépendante depuis sa deuxième semaine d'hospitalisation dans notre structure. Elle avait peur de mourir et chaque fois qu'une personne passait pour la visiter, elle demandait toujours une prière pour l'accompagner, disait –elle. A cause de ses caprices, les gardes malades l'ont laissé seule avec sa fille de 10 ans. Décédée dans un tableau silencieux, l'infirmier l'avait trouvé endormi avec une main à la joue droite, signe de souffrance.

9) Neuropathie diabétique

Toutes les douleurs ne sont pas de même nature ni de même ampleur. Celles d'un diabétique dépassent les limites.

Ce malade a beaucoup souffert et réclamerait une euthanasie assistée à mon avis. Mais sa famille et lui-même étaient chrétiens, et avec une culture socio-africaine de toujours résister et d'espérer une guérison malgré le degré de la douleur ressentie. Des morphiniques étaient devenues pour lui comme des arachides, avec une douleur de huit à neuf sur une échelle de dix. Sur demande de son fils, ce malade est rentré à son domicile avec ses produits analgésiques.

10) Améloblastome malin

Une jeune patiente de 25 ans, a souffert comme une perdrix prise dans un piège et qui lutte pour s'en sortir. Décédée à 25 ans, elle ressentait des douleurs extrêmes. Très amusante avec ses familiers, mais dure avec le personnel soignant, elle marchait et aurait seulement dit qu'elle voulait s'endormir et c'était son décès qui l'amenait au lit. Cette patiente n'en pouvait plus. Elle a beaucoup souffert et elle restera dans ma mémoire. C'est elle la première patiente chez qui je devrais apprendre les soins palliatifs, mais hélas ! Elle s'était volatilisée si vite, au cinquième jour de mon affectation.

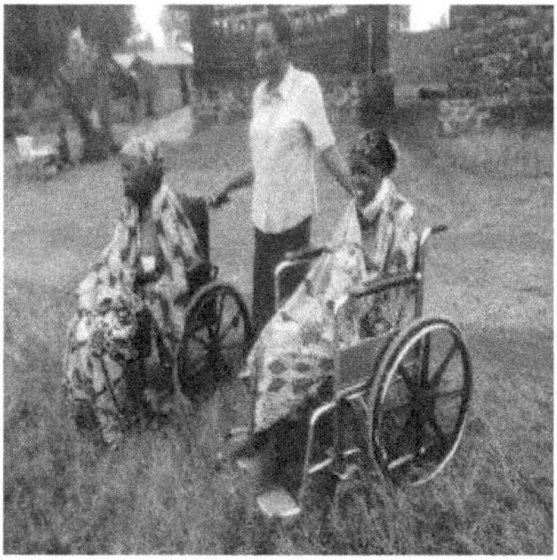

Photo collection Jeannot ntam 2018: accompagnement de malades pour assister aux entraînements de basketball. Image à Gauche : Dr Jeannot conduit la patiente avec améloblastome et l'infirmier Claude au milieu et une Sœur religieuse infirmière pour accompagner les malades. Image à gauche, il s'agit d'une sœur religieuse des Anges entre deux malades suivis pour soins palliatifs dans notre structure.

11) Cardiomyopathie dilatée

Durée d'hospitalisation : 69 jours

Oxygéno-dépendance d'environ 25 jours. Au début de son séjour dans notre structure, ce patient manifestait une intolérance à l'effort avec une fatigue et une dyspnée d'installation progressive. Puis il y eu apparition des œdèmes des membres inférieurs quelque temps après, et 45 jours plus tard, des douleurs thoraciques tenaces et insomnisantes ont surgi tel un coup de tonnerre et c'était le début des cauchemars pour notre patient, qui est devenu très susceptible.

Difficile à stabiliser malgré les analgésiques et les diurétiques, par manque d'un plateau suffisant. Il est décédé dans un tableau de défaillance multi-viscérale.

12) Maladie rénale chronique

Durée d'hospitalisation : 108 jours.

Il s'agit d'un malade diabétique connu, indiscipliné âgé de 49 ans, et qui avait déjà fait cinq fois la dialyse dont la récidive a motivé cette dernière hospitalisation de sa vie. Admis avec des céphalées frontales pulsatiles, notre patient était irritable avec ses neuropathies périphériques faisant alerter tout le personnel soignant pour être soulagé. L'installation d'une insuffisance rénale terminale était le point de chute de sa vie avec une malnutrition sévère.

13) Noma chez un malnutri

Durée d'hospitalisation : 127 jours.

Un des rares cas à voir dans la carrière médicale, c'est un petit enfant de cinq ans, mal nourri dès son admission. Transféré vers notre hôpital par une structure sanitaire d'un village très reculé pour suivi et prise en charge de la malnutrition aigüe sévère, mais c'est au cinquième jour de son hospitalisation qu'une lésion ulcéreuse a été découverte à la face interne de la joue droite. Lésion découverte à temps, l'état nutritionnel s'est vite amélioré, et les tissus ulcéro-gangréneux ont chuté puis une chirurgie esthétique a été faite par un spécialiste à Bukavu.

C'est un type de stomatite ulcéro-membraneuse et gangreneuse observée parfois chez les enfants atteints d'une maladie infectieuse grave surtout la malnutrition sévère et caractérisée par le développement d'un ulcère gangreneux sur la face interne des joues, qui gagne ensuite la peau et s'étend progressivement, provoquant des lésions gravissimes et aboutissant en général à la mort.[27]

Heureusement que notre patient s'en est sorti après une greffe cutanée par un spécialiste.

---

[27]Professeur Jacques QUEVAUVILLIERS : *Dictionnaire médical*, 6e édition, Elsevier- Masson 2009

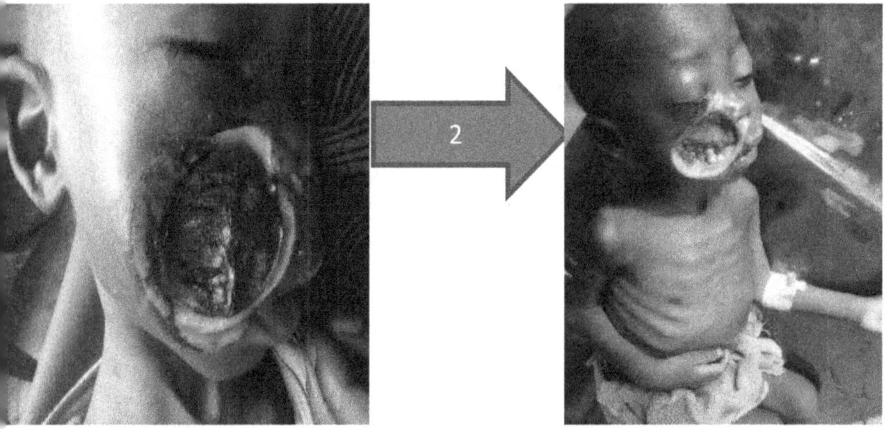

Photo Collection Jeannot, Ntam2018 : petit enfant âgé de 5 ans malnutri avec une des complications graves, le noma. L'image montre la chute des tissus ulcéro-gangréneux (1) et laissant la cavité buccale à nu (2).

3.4 Apostolat et soins palliatifs dans le village de Ntamugenga (Territoire de Rutshuru, Province du Nord-Kivu, en RD Congo)

L'hôpital de Saint Raphaël de Ntamugenga est une initiative des Sœurs de la Congrégation des Sœurs des Anges, dans le village de Ntamugenga, isolé et équipé au sein d'une région forestière qui en avait besoin depuis longtemps, et qui administre aussi de temps à autre les soins palliatifs aux malades qui en ont besoin à domicile et quelque fois en ambulatoire.

Comme le préconise le conseil pontifical pour la famille, il est urgent de créer plus de centres de soins palliatifs en évitant autant que possible qu'ils se trouvent dans des hôpitaux, par définition orientés vers les soins curatifs.

La proximité de ces 2 types d'unités de soins, curatifs et palliatifs, peut prêter à confusion et à ambiguïté. Notre structure de deuxième échelon, se donne l'audace et la faveur de faire ces soins palliatifs aux quelques malades qui en ont besoin ; mais n'est pas un centre de soins palliatifs comme certains le croiraient vue cette publication qui n'est que scientifique, et montre la valeur même d'avoir un centre spécifique dans notre région.

Il faut également évoquer l'importance accordée à la prise en compte de la souffrance globale du patient : physique, sociale, psychologique, spirituelle et de son entourage. Dans une approche interdisciplinaire, une place particulière est accordée aux bénévoles d'accompagnement des soins dans le cadre de soins de support. Pour notre cas, il s'agit des bénévoles des Sœurs de la Congrégation des Sœurs des Anges qui ont un grand rôle, pour leur soutien psycho-socio-spirituel, et qui se donnent corps et âme pour aider ces malades, surtout pour l'alimentation et le spirituel. A titre d'exemple, cette Congrégation offre habituellement aux malades démunis non seulement un confort spirituel mais aussi des aliments en espèce, un geste salutaire apostolique pour ce peuple.

Dans mon grand pays la RD Congo, le système de santé nécessite de développer d'autres approches des soins qui jusqu' alors n'existent qu'à un stade embryonnaire, c'est le cas de l'approche des soins palliatifs.

Dans ce beau pays, ces types des soins sont quasi inexistants. Cela serait dû au fait que pendant les enseignements académiques, dans aucun cours on aborde les soins palliatifs. S'ils sont connus par certains agents médicaux, c'est par l'expérience et certaines formations particulières et personnelles.

Chapitre IV : LES PERSPECTIVES DES SOINS PALLIATIFS EN RD CONGO ET EN AFRIQUE

4.1 Intégration des soins palliatifs dans l'enseignement

L'intégration des soins palliatifs dans les enseignements universitaires et supérieurs des domaines médicaux réduirait la tâche aux autorités sanitaires, aux managers gestionnaires des différentes structures sanitaires pour les formations multiples sur ces types des soins.

A la faculté de médecine et dans la formation des autres agents de santé, comme les infirmiers, il y a des cours qui ne valent plus la peine d'être étudiés mais sur lesquels les enseignants d'université insistent alors qu'il existe des cours négligés et d'ailleurs oubliés comme un cours sur les soins palliatifs. Ces derniers méritent une place dans une des promotions de la faculté, et ce domaine n'est pas trop exigeant, ce qui est une faveur pour les enseignants et les apprenants.

A mes simples pensées, on intitulerait ce cours « médecine palliative » comme le voudrait Hippocrate, tel qu'on parle de médecine traditionnelle. Pour ce qui est de la méthodologie, seuls les académiciens pourront la déterminer.

4.2 Devoirs des prestataires : maladie comme un fardeau

Il est à noter que chaque prestataire de santé est appelé à connaitre que chaque malade est un problème particulier, et chaque problème a nécessairement sa solution particulière. Nous sommes donc appelés à considérer le malade en tant qu'être humain le plus proche, surtout qu'il se confie à nous, et considérer la maladie comme un fardeau qu'il faut décharger par une prise en charge adéquate et douce.

S'il est impossible d'apaiser ou de décharger ce fardeau que porte le malade, une solution palliative est possible, et ce, en se mettant à sa place. Ceci ne résout pas le problème mais porte un appui, un secours, celui de le soulager.

Et comprendre cette théorie est la base, la clé de la réussite de la médecine palliative et curative.

4.3 Devoirs des autorités politico-sanitaires

Pour réussir à planifier dans une institution sanitaire, il faut un partage de tâches. Si de grands pays comme les Etats-Unis réussissent leur politique, c'est parce qu'ils ont depuis longtemps décentralisé le pouvoir et le domaine d'action. Et à chaque niveau une décision est majeure et prise comme prioritaire pour être remontée.

Pour mon domaine, je pense que nos autorités sanitaires ont le devoir de bien vouloir :

- ✓ Editer les normes préalablement établies depuis plusieurs années et voir la possibilité d'y intégrer les nouvelles normes en y ajoutant la médecine palliative comme c'est le cas dans d'autres pays africains ;
- ✓ Promouvoir le soulagement de la douleur par les opiacés avec l'établissement d'un modèle de suivi national à tous les niveaux ;
- ✓ Promouvoir les idées de création des structures sanitaires palliatives spécialisées, les hospices avec les lignes de conduite bien définies;
- ✓ Sensibiliser la population sur l'intérêt et l'utilisation de soins palliatifs ;

- ✓ Intégrer l'approche de soins palliatifs dans les aires de santé.

4.4. Conviction pour les soins palliatifs et contre l'euthanasie

a. Ma conscience et l'euthanasie

Je parle en tant que médecin conscient de son engagement face à l'art de guérir. Il serait infâme d'être lâche un jour dans la carrière médicale et abandonner son engagement pour imiter les mauvaises habitudes venues des certains pays Occidentaux qui votent des lois relatives à l'euthanasie. Il importe d'être dans le vent du bon côté de choses à l'africaine. Savoir qu'un malade est soulagé procure l'intérêt et l'amour à son égard. Mais celui qui prône l'euthanasie est toujours controversé par la famille et certains membres du personnel soignant. Reconnaissant que celui qui favorise cet acte d'euthanasie aura aussi son crépuscule de la vie, on aimerait savoir sa réaction quand il s'agira de l'euthanasier lui aussi.

Curieusement, ceux qui préconisent cette méthode préfèrent eux-aussi rester en vie en évitant toujours toute circonstance pouvant conduire à leur mort comme les accidents de circulation routière et autres circonstances collatérales pouvant handicaper la poursuite normale de l'exercice de leurs fonctions. Ne faites pas ce que vous ne voulez pas qu'on fasse pour vous (cfr Luc 6 :31).
Je pense que cette pratique d'accélérer la mort de quelqu'un est abject. Il faut l'éviter et laisser la mort naturelle venir de soi.

Cela se comprend par cet exemple d'un glaçon dans l'eau chaude :

Placer un glaçon dans un bassin d'eau chaude et après quelques minutes il va diminuer d'épaisseur. Quand il sera dissout par l'eau, le niveau d'eau va se stabiliser. Mais si on s'efforce à le casser, l'eau sera troublée.

Le glaçon c'est le malade incurable et l'eau c'est la nature avec entourage. Chaque chose arrive à son temps et la mort arrive à son temps que personne ne peut changer. Ma tante maternelle qui reste à Kinshasa dit souvent : « *Rien ne se fait, ni en avance ni en retard, tout se fait à temps* »[28].

On ne devrait pas comparer une vie humaine à des marchandises tarées qu'il faut jeter dans la poubelle. Un euthanasiste est un criminel qui se cache derrière une loi juridique venue mettre le bâton dans la roue médicale, dans l'engagement médical. Le médecin doit garder la liberté dans l'exercice de son ministère et trouver un accord avec sa conscience de refuser une criminalité à l'égard de son patient.

b. Séquelles psychologiques post-euthanasiques

L'acte euthanasique n'est pas une affaire facile et paisible. C'est un geste malaisé à poser et le personnel médical en subit les contrecoups, ce qui n'est pas le cas en appliquant les soins palliatifs où on se sent aisé d'avoir aidé le patient.

En Belgique, les médecins euthanasiques ont droit à une psychothérapie après avoir euthanasier un patient. Il n'est

[28] Conseil d'une tante à son neveu, jeune médecin venu fraichement de l'Université en 2016

pas rare de voir les infirmiers belges prendre un jour de congé quand ils savent qu'une euthanasie a été prévue[29].

Se faire soigner après l'acte pour les uns et pour les autres, prendre un congé avant cet acte est une preuve qu'ils reconnaissent en cet acte un crime, connu de tout le monde. Le remord étouffe le plaisir de soigner d'autres malades, de rencontrer les familiers et même de retourner dans la même salle où l'acte a été accompli. Dans ce cas, l'euthanasie est un crime contre sa propre santé tout d'abord.

c. L'euthanasie, un crime contre soi-même

Heureusement que l'Afrique est encore à l'abri de la criminalité médicale, qu'est l'euthanasie. Je considère l'euthanasie comme un homicide volontaire et condamnable. Je prône les soins palliatifs qui sont des soins paisibles et faciles à administrer. De bons soins palliatifs arrivent à contrôler la souffrance physique, existentielle et sociale, et un médecin qui ignore les soins palliatifs et pratique l'euthanasie est un criminel au même titre que celui qui a tué par arme à feu, à la différence que celui-ci applique le droit de tuer à l'encontre de son engagement, l'art de guérir.

d. La conscience du malade

Il vaut mieux être mort qu'être malade et hospitalisé dans un hôpital où l'on pratique le droit de tuer. Beaucoup de personnes hésiteraient à se faire soigner dans un hôpital où on pratique l'euthanasie surtout qu'en Afrique les nouvelles, bonnes ou mauvaises, se répandent comme une trainée de poudre et où la vie est une prisée. L'euthanasie est donc en contradiction avec les exigences de la dignité et

---

[29]Collectif de médecins contre l'euthanasie, *vivre la dignité*, Bruxelles, journal médical, 2015

de la vraie compassion humaine qui sont au cœur de la médecine.

Une chose est certaine : la vie en société demande une confiance réciproque entre médecin et patient. Ce dernier doit avoir la certitude que personne ne le tuera ou ne lui fera du mal.

Quel intérêt y-a-t-il de tuer son client ?

Avec l'avènement de l'euthanasie, nous risquons d'assister un jour à des morts dues aux antécédents conflictuels. Et dans l'avenir, ces hôpitaux manqueront les malades par l'avènement de l'euthanasie. Ce qui sera comme « jeter de la poudre au feu » dans une région où la paix reste une denrée très rare.

4.5 Pallier un problème communautaire

Face à des situations gravissimes des douleurs et de la sous-information sur l'intérêt des soins palliatifs du personnel soignant et de la population, une sensibilisation serait d'une importance capitale.

Ce qui est plus inquiétant encore, c'est l'absence même d'un hospice dans un grand pays comme la RD Congo avec plus de 80 millions d'habitants mais aussi l'ignorance par la population de l'intérêt et l'existence des soins palliatifs.

En Afrique et particulièrement en RD Congo, le concept de « soins palliatifs » est quasi inexistant, et presque introuvable et oublié dans les milieux hospitaliers, contrairement aux pays européens où ces soins sont intégrés dans les soins de santé primaire.

Il est donc impérieux d'introduire le concept des soins palliatifs dans les différentes formations des soignants surtout universitaires et en tenir compte dans la restructuration du système de santé, pour soulager ces patients et les familles qui en ont besoin.

Dr Désiré MASHINDA de l'école de santé publique de l'Université de Kinshasa, dans une synthèse d'une supervision dans cette ville a attiré l'attention sur un fait : « En RD Congo, la priorité de services de santé se concentre sur les pathologies infectieuses et sur les groupes vulnérables. Il est accordé peu d'attention aux maladies chroniques et non transmissibles notamment le cancer, un tueur silencieux dont l'incidence est en hausse. Ces dernières pathologies sont peu connues du public et les personnes qui en souffrent consultent souvent à des stades avancés de la maladie lorsque la douleur physique et la souffrance s'installent[30] ».

En phase terminale, ces malades ont néanmoins besoin de soins appropriés pour améliorer la qualité de leur vie. Or, la spécificité de ces soins en phase terminale n'est pas clairement reconnue en RD Congo. Le traitement de la douleur n'étant pas encore codifié, ces maladies nécessitent donc des soins palliatifs pour un soulagement permanent.

4.6 Visite à domicile

Un matin d'un certain vendredi, j'entrais dans notre cabinet de consultation, et sur le programme du dimanche, il était écrit : « *visite à domicile* », ce qui voulait dire une descente sur terrain pour aller visiter nos malades grabataires rentrés à la maison sur demande de leur famille et qui pouvaient y

---

[30]Professeur Dr Désiré MASHINDA, *soins palliatifs: supervision et évaluation de la prise en charge des maladies chroniques en phase terminale à Kinshasa*, Ecole de santé publique de l'UNIKIN, 2019

être suivis par un personnel soignant. J'étais chef d'une équipe de quatre infirmiers.

Le jour de la descente arriva, c'était un dimanche, nous nous sommes mis en route. Oui, c'était une descente théorique mais pratiquement nous escaladâmes des collines et des collines, sur une distance de plus de dix kilomètres pour arriver à la première destination. Malheureusement à notre arrivée, le malade à visiter était décédé une semaine avant, triste événement pour la famille de cette jeune femme de 45 ans. Sur le chemin, j'étais guidé par mes infirmiers, et j'étais le premier à demander un repos de 15 minutes alors qu'il nous restait environ trois collines pour arriver au troisième et avant-dernier malade car le dernier était resté un peu en bas de la colline.

Pour le troisième, nous y sommes arrivés tant bien que mal, malgré ma fatigue et le manque de provision d'eau potable. Là, nous avons trouvé des enfants abandonnés qui ne pouvaient plus marcher, des chiques ayant fait gonfler leurs orteils et plantes de pieds. Nous avons enlevé ces chiques et nous avons assisté cette famille. Les gestes faits nous ont satisfaits et honorés.

Dans chaque maison visitée, nous avions laissé du haricot, du riz, du sels et de la farine de maïs, sans oublier des chapelets, tel que recommandé par notre manager.

4.7 Rôles des hôpitaux et de leurs managers

Chaque hôpital, doit avant tout se débrouiller en appliquant les soins palliatifs pour montrer à nos autorités sanitaires qu'il y a un souci, un besoin d'exécuter des actes nobles dans notre domaine car celui-ci est un engagement pour la vie.

Si les managers de différents hôpitaux sont d'accord à exécuter ces soins palliatifs, des gens de bonne foi, des volontaires ne peuvent pas manquer à initier la construction des hospices dans notre région pour le suivi de nos malades.

4.8 La bonne manière palliative

La réussite de la prise en charge des malades se trouvant au déclin de leur vie, la bonne manière passe par la collaboration et une bonne ambiance avec ces malades et avec leurs familles, les fera sentir liés d'une manière ou d'une autre au personnel soignant et à leurs familiers.

1. La collaboration

C'est une étape essentielle pour amorcer les grandes lignes de prise en charge dans lesquelles une préparation pour la discussion interdisciplinaire avec le patient, la famille et toute l'équipe soignante.

Sans grande surprise, il suffit tout d'abord de se préparer psychologiquement avant d'appeler le malade dans le cabinet médical, ou un autre endroit calme et sûr, et par la suite, demander l'avis favorable du patient pour la présence d'un familier ou pas. Le médecin dans ces deux cas, doit se rassurer qu'il a l'attention du patient et de l'accompagnant.

Il est nécessaire de connaitre la façon d'annoncer la nouvelle et la façon dont le patient et son accompagnant vont comprendre le mieux cette nouvelle mais aussi connaitre ce qu'ils veulent savoir ou ce qu'ils veulent qu'on leur annonce, en cherchant les besoins d'information du patient sur sa maladie. Expliquer la maladie et ses complications permettra l'expression des réactions émotionnelles et dégagera le cerveau du malade des humeurs qui l'incommodent, et ainsi il faudra montrer avec explication. Les prochaines étapes de soins et comment la maladie va évoluer sachant que « c'est l'inconnu et l'incertitude qui créent l'anxiété, et l'avenir est le côté mystérieux de l'homme. »

2. Préparer à la mort

Le coté mystérieux et fort de Dieu, c'est la mort. L'âme reste mais l'esprit disparait. Tout le monde passera par la mort un jour, et c'est le seul et unique chemin qui unit ce monde. Et j'aime dire au malade une phrase : « Quand la mort arrive ; ce que Dieu veut écrire une nouvelle histoire. »

S'il existe des choses dont on a de sérieuses difficultés à expliquer, il s'agit bien de celles dont personne n'a l'expérience palpable comme la mort. On ne peut pas parler de la mort ni l'expliquer quand on est encore en vie, et on ne peut plus en parler quand on n'est plus vivant. Ce sont des choses que personne ne maîtrise et dont il faut parfois donner la langue au chat.

3. Réponse à l'appel du malade

« Rien ne se fait sans cause » est mon principe devant une plainte du malade. « Une plainte vaut un appel n'importe quand » est ma devise dans mon métier que j'instruis souvent au garde malade.

Un malade qui se plaint prouve un « ça ne-va-pas ». Il est prudent de répondre à l'appel du malade et se présenter à son chevet et à temps. La majorité des malades suivis dans les derniers moments de leur vie dans notre structure, présentent des douleurs à 70% dont 65% ont des douleurs sévères à modérés et moins de 35% ont des douleurs d'intensité légère. Une échelle de cotation de la douleur doit être affichée dans la chambre de garde ou amenée dans la chambre quand le malade se plaint.

Souvent le malade fait peur, et fait aller aux larmes le personnel soignant, qui par pitié prescrit des analgésiques pour soulager rapidement la douleur et parfois exagère pour pallier rapidement la douleur, ce qui est une pratique à décourager, car due à une faiblesse d'esprit. Cela ne devrait pas arriver car il y a un grand risque de surdosage et d'emporter le malade. Je n'oublierai jamais le premier patient que j'ai suivi dès son admission, un cas avec Rabdomyosarcome malin de la cuisse droite, c'était comme un rêve devenu réalité.

4.9 Un Pasteur faible pour les malades

L'importance d'administration des soins palliatifs est encore ignorée et presque inconnue dans notre ville de Goma. Des nombreux personnels de santé même qualifiés ont rencontré des malades qui nécessitent ces soins palliatifs, mais n'ont pas tiré profit de rendre un service aussi immense dans leur vie et ainsi annoncer l'importance et la valeur de ces soins. Ce qui n'est pas étonnant un ministre de Dieu au début de fonction a rapidement montré son amour envers les malades et cette faiblesse le poussera à créer un groupe d'accompagnement des malades dans la ville de Goma. [31]

On peut lire dans le livre intitulé « *le Maitre, c'est Lui* » de l'abbé NYIRINDEKWE Innocent, des expériences qui méritent une note particulière.

---

[31] NYIRINDEKWE Innocent, « le maitre, c'est lui », presses universitaires la Sapientia-Goma 2018

Dès le premier mois de son ministère, il trouva des malades à la fin de leur vie et nous raconte :

« Un lundi soir, je vois une femme venir à la Paroisse Saint Esprit avec une préoccupation : je cherche, depuis le matin, un prêtre mais je n'en trouve pas. J'ai été à la cathédrale, j'ai pendant la journée, été ici, mais je n'ai trouvé personne. En effet, chaque lundi est la journée de repos pour les prêtres partout dans le monde, parce que le week-end jusque dimanche soir, ils sont très occupés. La femme avait un malade mourant à la maison (quartier Birere IV, Notre Dame du Congo), et n'avait pu me trouver que tard le soir, au retour de ma journée de détente. Sans attendre, j'ai préparé ce qu'il fallait pour administrer l'onction des malades et le viatique, et nous sommes partis ensemble à pieds parce que je ne savais encore conduire ni moto, ni véhicule. En arrivant juste devant la maison, j'entendais des cris de détresse et je compris que le malade n'était plus. C'était ma première sortie pour donner ce sacrement, et je ratais, en malheureux, ma mission, je me sentais coupable, en place de tous les prêtres, par ce que je me disais : cette personne aurait pu trouver à temps un prêtre, mais... !

Cette situation m'a beaucoup travaillé, et dès ce jour, j'ai pris l'engagement de ne donner priorité qu'aux malades dans mon ministère ordinaire ».[31]

Si tout le monde se souciait des malades, les soins palliatifs seraient disponibles, et si du moins ils étaient mis en pratique dans un centre hospice ou un centre de soins palliatifs, ce malade ne serait mort sans ses sacrements.

Dans notre pays, la seule chose que les médecins et autres personnels soignants font pour les malades incurables, c'est de sortir ces malades de l'hôpital, et pourtant c'est là où leur calvaire commence ou s'intensifie pour le malade et leurs familles. Essayons de discerner ce qu'est cette souffrance envoyée à la maison au lieu de fournir des efforts pour être pionniers des soins palliatifs dans la ville de Goma.

Récemment, dans le discours introductif à la cérémonie de la signature de la déclaration par les représentants des trois religions monothéistes_ à Vatican en octobre 2019, Monseigneur VINCENZO PAGLIA , président de l'académie pontifical pour la vie, affirme nos hypothèses en disant : « la médecine n'est pas tenue de rétablir la santé à tout prix ni de prolonger la vie, mais de toujours prendre soin de la personne, y compris lorsque la maladie est incurable. Dans ces cas, les soins palliatifs, dont l'importance est soulignée dans la déclaration, ne visent ni à accélérer ni à repousser sans discernement le moment de la mort, mais leur but est d'accompagner les patients de manière compétente et globale, avec l'approche d'équipes pluridisciplinaires, dans le délicat passage de la mort, tout en prenant soin de la famille.[32]

Retournons au livre du Préfacier, et posons-nous ensemble ces quelques questions !

Comment concilions – nous vocation et profession ou vocation et technicité ? Quelle est la dimension humaine ou comment l'aspect purement humain peut-il se vérifier dans les soins, dans l'accueil, dans la facturation, dans le logement, dans les soins palliatifs ? comme disait Jean Paul II, « c'est l'heure d'une nouvelle imagination de la charité qui se déploierait non seulement à travers les secours prodigués avec efficacité, mais aussi dans la capacité de se

- [32] PAGLIA VICENZO, discours introductif à la cérémonie de la signature de la déclaration par les représentants des trois religions monothéistes : la fin de la vie, Villa Pia, Vatican 28 Octobre 2019.

faire proche, d'être solidaire de ceux qui souffrent, de manière que le geste d'aide soit ressenti non comme une aumône humiliante, mais comme un partage fraternel ».[33]

Quand on a été habitué à visiter les malades à l'hôpital (ceux surtout tenus par les religieux de chez-nous), on a l'intention d'aider les agents à se poser quelques questions : quels éléments marquent l'humanité dans nos institutions sanitaires et dans ma profession d'opérateur de santé ? Les soins étant un moment de rencontre de celui qui demande de l'aide et celui qui donne de l'aide.

Devant le problème de la souffrance, il n'existe ni réponse facile ni exhaustive. Il existe quand même des parcours donnés par la foi, le cœur, la raison pour aider à retrouver l'équilibre, l'espérance. Ils sont comme des boussoles qui, comme au milieu d'un vaste océan, donnent la direction à prendre pour atteindre le bon port :

- ✓ Accepter l'imperfection de la nature : nous ne sommes que transitoires, la nature est notre compagne de route dans ce qu'elle est imparfaite ; lui pardonner ses limites et ses faiblesses pour réconcilier avec le Créateur qui a créé un monde imparfait.
- ✓ Explorer où peut conduire la souffrance : au lieu de se poser la grave question du « pourquoi moi », se poser celle plus consécutive, à savoir : « que puis – je faire devant ce qui m'est arrivé ? », une maladie, un échec, une douleur nous aide à regarder à l'intérieur de nous-même de façon profonde et nous ouvre un horizon d'espérance. C'est ce que l'on appelle la « fécondité de l'échec ». on ne peut y

---

- [33] PAPE Jean Paul II, Novo Milleno Ineunte, n°50
-

arriver qu'en mettant en valeur les quantités morales de la patience, de l'humilité, de la persévérance, de la confiance. Dans la douleur se vérifie la crédibilité de l'amour vertical et horizontal.

Qu'y a-t-il à côté du malade ?

Nous avons besoin de contempler ce que nous ne comprenons pas et une réalité qui nous dépasse : la mort en train de venir, mais on ne peut pas la voir. Même le médecin qui voit venir le cancer en phase finale ne réussit pas à voir ce qu'on appelle la mort dans le corps de ce malade mourant comme il voit les tissus détruits,[31]

Chapitre V : HISTORIQUE DE L'HOPITAL SAINT RAPHAEL DE NTAMUGENGA

Ntamugenga est un petit village situé en Territoire de Rutshuru, en Province du Nord-Kivu, en RD Congo.

Situé à une latitude de 1363° par rapport au niveau de la mer, l'hôpital Saint Raphael est situé dans l'aire de santé de Ntamugenga ; zone de santé de Rwanguba, diocèse de Goma, territoire de Rutshuru, dans la province du Nord-Kivu, à soixante-sept kilomètres de la ville touristique et volcanique de Goma. Il est sous la gestion de l'Eglise catholique et sous contrôle du bureau diocésain des œuvres médicales, branche de la Caritas Goma.

Entourée de trois sites touristiques dont Matebe, Rumangabo et Bikenke, la structure sert une population avoisinant les 16748 habitants.

Depuis avril 2007, le village de Ntamugenga possède un des rares hôpitaux dans le territoire de Rutshuru. Un hôpital initié et géré par les sœurs religieuses de la Congrégation de Sœurs des Anges : un apostolat tout fait d'une Congrégation basée en Pologne, et qui possède plusieurs missions en Afrique dont une en République démocratique du Congo dans le diocèse de Goma, qui fait sa célébrité par son plateau médical, technique de labo et d'imagerie, l'hôpital saint Raphael de Ntamugenga. Une autre mission se trouve au Cameroun précisément à Nduma. Une autre mission enfin, fait la fierté de la Congrégation, reconnue en Afrique centrale par un de rarissime centre de soins palliatifs en Afrique, le centre Saint Jean-Paul II situé à l'est du centre-ville de Kigali au Rwanda, un hospice trop jeune où nous avons effectué notre stage pratique sur les soins palliatifs et un centre d'Oto-rhino-laryngologie avec une sœur spécialiste dans ce domaine.

Les premières activités sanitaires à l'hôpital Saint Raphael Ntamugenga débutèrent en 1995 grâce à la générosité pastorale de la Congrégation des Sœurs des Anges qui se sont données corps et âme pour relancer un village et une population en déperdition complète, avec cinq infirmiers sur lesquels compter pour partir à zéro. D'autres activités naquirent peu à près, vers la fin de l'année 2001, une bénédiction du centre de santé par les autorités ecclésiastiques et ouverture d'un centre nutritionnel et de supplémentation. A cette période, le centre avait les activités suivantes : la vaccination, les consultations prénatales, les consultations infirmières curatives, l'observation, la maternité et les activités promotionnelles.

Toutes ces activités sous la direction de la sœur Maria PIATKOWKA, la pionnière de ce centre. Elle laissera son autorité gestionnaire à la sœur BARBARA PUSTULKA qui a beaucoup contribué à l'épanouissement de ce centre, qui a milité pour que celui-ci devienne une structure de référence, en construisant et en supervisant les activités de construction du bloc opératoire, de maternité rénovée, du bloc de pédiatrie, chirurgie, médecine interne, les salles privées et le camp d'habitation des médecins et infirmiers mais aussi le bloc administratif.

Avec une capacité d'accueil de soixante lits montés, sous la gestion de la vaillante sœur BARBARA, le centre de santé de référence accueillera son premier médecin en avril 2007 et deviendra une structure de référence. Il s'agit de Docteur Clovis AKUMBI, qui deviendra plus tard médecin chef de zone de Birambizo et médecin responsable au centre de santé de référence Mapendo à Kiwanja .

C’est en mai 2015 que la passionnante Sœur Agnieszka GUGALA prit la gestion du centre avec comme médecin responsable Docteur John SEBATWARE.

Signalons que c’est la sœur Agnieszka GUGALA, par sa bravoure, qui a fait de cet hôpital une structure plus sollicitée dans l’axe de Ruschuru et même de tout le territoire, par un équipement régulier du laboratoire moderne qui attire tout le monde, même les malades venant de la ville de Goma à près de soixante- sept kilomètres.

Les activités organisées sont les suivantes : l’Imagerie (échographie, électrocardiogramme), la kinésithérapie, l’hospitalisation (chirurgie et bloc opératoire, médecine interne, pédiatrie, gynéco-obstétrique), la consultation infirmière et médicale, la vaccination, le laboratoire moderne et un centre nutritionnel thérapeutique intensif et ambulatoire.

Signalons le passage, après Dr Clovis AKUMBI, de plusieurs autres médecins dans cette structure à savoir les Docteurs Salomon MUISHA, Marcel KASANGATI, Alexis PUNZU, Steeve CHIBANVUNYA, MAZURI Augustin, Patient MUKOLA, et plus récemment Jeannot BAANITSE.

CONCLUSION GÉNÉRALE

De tous les coins du monde, quel que soit le rang qu'on occupe sur cette terre, Il n'est pas toujours facile de discerner le moment où les soins doivent s'orienter vers une prise en charge palliative. Le travail en équipe pluridisciplinaire représente une aide précieuse pour les sœurs de la Congrégation des Sœurs des Anges.

Oublier ou négliger de faire les soins palliatifs dans une structure est une faute grave. Tout malade qui nécessite ces soins doit obligatoirement en recevoir car ils sont typiquement reconnus au titre du droit de l'homme à la santé, et ces soins soulagent le malade et sa famille sur tous les plans, et le préparent à accepter la fin de son séjour sur terre.

L'adaptation des soins à l'évolution psychologique du malade et de sa maladie doit se faire progressivement et de façon continue malgré les obstacles encourus par l'équipe soignante.

La transition des soins curatifs vers les soins palliatifs ne doit jamais être brutale, celle-ci doit se faire d'une étape à une autre pour que toutes les parties soient d'accord sur les soins à instituer, et l'acceptation de la vie à venir.

Il serait notable d'utiliser le terme de soins continus pour supprimer toute idée de rupture dans la prise en charge. La continuité des soins à domicile ou dans un hospice doit résulter d'une réflexion et d'une concertation multidisciplinaire où chaque professionnel qui s'occupe du patient (médecins, infirmières, kinésithérapeute, psychologue, familier) peut venir apporter son point de vue et éclairer l'intervention utile de la prise de décision.

Les principes qui guident la démarche des soins palliatifs sont le respect de la personne dans sa dignité, sa liberté et sa vive volonté. En aucun cas, il ne s'agit d'euthanasie active.

Les soins palliatifs font partie des missions sociales de l'Eglise en assurant une alimentation et une hydratation correcte et préventive à tout malade qui en ont besoin et constituent un droit inaliénable pour tous les malades.

Le travail de l'équipe soignante est de maintenir et garantir jusqu'au bout une relation entre le malade, sa famille et les soignants, dont l'issue dépendra de cette relation qui est capitale pour toute étape et pour chaque personnel concerné.

L'écoute et l'aide socio-spirituelle pour faire face à la mort prochaine malgré la souffrance, les difficultés de communication, les bouleversements affectifs induits par l'épuisement physique, la multitude des symptômes et les difficultés techniques requièrent de la part de l'équipe soignante et du médecin une formation et des qualités professionnelles et humaines appropriées.

L'intégration des soins palliatifs dans le programme sanitaire national et dans l'enseignement médical est un atout, un geste salutaire pour le développement de notre système de santé.

Il est donc opportun qu'on leur accorde une attention particulière et une place de choix.

L'AUTEUR

Jeannot BAANITSE MUNIHIRE, Docteur en médecine.

Il est né le 01/01/1988 à Mweso, rive gauche côté Masisi dans le Bwito. Après l'école primaire à l'EP 2 Faraja en 2001 et le diplôme d'Etat à l'Institut de Goma, ex-Athénée, en 2007, il est passé à l'Université Officielle de Bukavu d'où il sort, et proclamé en 2016, Docteur en Médecine, Chirurgie et Accouchement.

- Stages : à l'HGR Masisi, aux Cliniques Universitaires de Bukavu, Recherche sur les plantes médicinales dans le Kivu et sur les soins palliatifs au Centre Saint Jean Paul II de Kabuga à Kigali
- Postes : successivement médecin à l'HGR Masisi, puis Médecin Directeur du Centre Hospitalier Katwe (Bwito), chercheur en maladies chroniques au Centre de Médecine Préventive la solidarité(CMP/S); Médecin chef de Service de chirurgie et responsable des soins palliatifs (maladies incurables) à l'hôpital Saint-Raphaël à Ntamugenga à Rutshuru, géré par des Sœurs polonaises de la Congrégation Sœurs des Anges puis à l'hôpital la providence de Goma kituku.
- Et actuellement, assistant à la faculté de Médecine de l'Université Catholique la Sapientia-Goma et médecin traitant à l'Hôpital charité maternelle de Goma.

Plusieurs formations médicales dans différents domaines.

Table des matières

Structures éditoriales du groupe L'Harmattan

L'Harmattan Italie
Via degli Artisti, 15
10124 Torino
harmattan.italia@gmail.com

L'Harmattan Hongrie
Kossuth l. u. 14-16.
1053 Budapest
harmattan@harmattan.hu

L'Harmattan Sénégal
10 VDN en face Mermoz
BP 45034 Dakar-Fann
senharmattan@gmail.com

L'Harmattan Cameroun
TSINGA/FECAFOOT
BP 11486 Yaoundé
inkoukam@gmail.com

L'Harmattan Burkina Faso
Achille Somé – tengnule@hotmail.fr

L'Harmattan Guinée
Almamya, rue KA 028 OKB Agency
BP 3470 Conakry
harmattanguinee@yahoo.fr

L'Harmattan RDC
185, avenue Nyangwe
Commune de Lingwala – Kinshasa
matangilamusadila@yahoo.fr

L'Harmattan Congo
67, boulevard Denis-Sassou-N'Guesso
BP 2874 Brazzaville
harmattan.congo@yahoo.fr

L'Harmattan Mali
ACI 2000 - Immeuble Mgr Jean Marie Cisse
Bureau 10
BP 145 Bamako-Mali
mali@harmattan.fr

L'Harmattan Togo
Djidjole – Lomé
Maison Amela
face EPP BATOME
ddamela@aol.com

L'Harmattan Côte d'Ivoire
Résidence Karl – Cité des Arts
Abidjan-Cocody
03 BP 1588 Abidjan
espace_harmattan.ci@hotmail.fr

Nos librairies en France

Librairie internationale
16, rue des Écoles
75005 Paris
librairie.internationale@harmattan.fr
01 40 46 79 11
www.librairieharmattan.com

Librairie des savoirs
21, rue des Écoles
75005 Paris
librairie.sh@harmattan.fr
01 46 34 13 71
www.librairieharmattansh.com

Librairie Le Lucernaire
53, rue Notre-Dame-des-Champs
75006 Paris
librairie@lucernaire.fr
01 42 22 67 13